MÜNSTERSCHWARZACHER KLEINSCHRIFTEN

herausgegeben
von Mönchen der Abtei Münsterschwarzach

Band 45

Johanna Domek OSB

Segen –
Que

VIER-TÜRME-VERLAG MÜNSTERSCHWARZACH
1988

Johanna Domek OSB

Segen – Quelle heilender Kraft

VIER-TÜRME-VERLAG MÜNSTERSCHWARZACH
1988

CIP-Kurztitelaufnahme der Deutschen Bibliothek
Domek, Johanna:
Segen – Quelle heilender Kraft / Johanna Domek. –
Münsterschwarzach : Vier-Türme-Verlag, 1988.
(Münsterschwarzacher Kleinschriften ; Bd. 45)
ISBN 3-87868-372-3
NE: Reitz, Petra:; GT

Gesamtherstellung: Vier-Türme-Verlag, D-8711 Münsterschwarzach

ISSN 0171-6360
ISBN 3-87868-372-3

Inhalt

Einleitung

Jeden Augenblick werden auf unserer Erde – in allen möglichen Sprachen und von den Gesten der Menschen begleitet – zahllose Worte gesprochen, gewechselt, ausgetauscht, vor- und zugesagt und gewagt. Manche wiegen schwer, wekken das Leben, prägen seine Form, Kraft fließt durch sie hindurch, gute und böse, von einem zum andern hin.
Viele andere Worte sind leichthin gesagt und wiegen nichts, füllen keine Leere, wecken niemanden auf. Es ist „nichts dahinter". Sie gleichen den Kulissen. Einmal sah ich eine Straße, die für einen Wildwestfilm aufgebaut war, schöne Fassaden, auf denen „Saloon" oder „Bank" stand, aber es war nichts dahinter.
Viele Worte sind so, sie kommen und gehen ohne wirkliche Kraft, mögen sie auch noch so laut und imposant klingen. Auch sie haben, gewußt oder nicht, ihre Gründe und Absichten, doch das wirkliche, lebendige Leben tönt nicht hindurch.
Gottes Wort ist kraftvoll und schöpferisch, lebendiger als unsere kühnsten Gedanken es nachdenken, tiefer als die tiefsten Träume es träumen, weiter als der weitherzigste Mensch es ermißt, reicher als die größte Phantasie es erahnt. Alles Leben fließt aus der Quelle, die dieses Wort ist, klingt aus seinem einen Klang.
Im ersten Schöpfungsbericht der Bibel (Gen 1,1–2,4) geschieht die Schöpfung durch Gottes Wort. Sein Wort ist das Urwort jeden Lebens. Und wenn Gott ruft, dann antwortet die hörende Schöpfung. Der Prophet Baruch schreibt dies vom Licht einmal so: „Er entsendet das Licht, und es eilt dahin; er ruft es zurück, und zitternd gehorcht es ihm. Froh leuchten die Sterne an ihren Orten. Ruft er sie, so antworten sie: Hier

sind wir! Sie leuchten mit Freude für ihren Schöpfer“ (Bar 3,33–35).

Ursprünglich war alles gottgeschaffene Leben ein Segen des segnenden Gottes, der im Anfang die Menschen als sein Abbild schuf, sie segnete und ihnen die Erde anvertraute. Durch die Sünde gingen dem Menschen und seiner Welt der unmittelbare Kontakt zu diesem Segen verloren. Nun sieht er oft nicht mehr, wie er im großen Zusammenhang des Lebens dasteht, hört das Wort Gottes nicht mehr, das ihm im Durcheinander der Stimmen Leben schenken will, spürt oft in seiner Unrast den Segen nicht mehr, der ihn umgibt, um auf ihm zu ruhen. Und häufig geschieht es, daß die unproportional zusammengebauten Steine seiner Menschenwelt ihn und seine Umgebung stoßen und zu erschlagen drohen.

Doch der Mensch braucht den Segen, mag er ihn so oder anders nennen, braucht den Kontakt mit dem großen, gesegneten Zusammenhang Gottes. Das hat er zu allen Zeiten gewußt. So gab und gibt es in allen Kulturen Menschen, die diesen Segen in Worten und Gesten vermitteln, Schamanen, Propheten, Priester, Weise, Männer und Frauen, die die ihnen geschenkte Gotteskraft weitergaben und weitergeben.

Ein solcher Segen ist wie Regen auf ausgedörrtes Land oder – in einem anderen Bild – wie das warme Licht der Sonne im fensterlos gebauten Schildbürgerrathaus. Man erinnere sich, die neunmalklugen Schildbürger bauten ihr stolzes Rathaus, aber sie vergaßen die Fenster. So blieb es finster, und sie konnten nichts recht beraten. Da versuchen sie als beinahe geniale Ausflucht, das lebensnotwendige Licht in Säcken zu fassen und hereinzutragen. Aber es gelingt nicht. Segen nun bedeutet Licht im Schildbürgerrathaus; im

Mauerwerk ist eine Lücke entstanden, eine Offenheit, eine Transparenz.
Durch Menschen, die sich nicht verschließen, sondern Gott an sich heranlassen, die das allein Sinnvolle wagen, sich ihm offen hinzuhalten, fließt Gottes Segen in diese segensbedürftige Welt. Und in Jesus Christus, Gottes Wort und erlösende Zuwendung in Person, hat Gott uns mit allem Segen seines Geistes gesegnet (Eph 1,3). Er ist unser Glück, ist Licht, Leben und Tür zum Leben.
Der gesegnete und segnende Mensch ist nicht die Tür zum Leben. Aber er ist wie ein Riß in einer festen Mauer, wie eine Ritze in der Holzwand, durch die das Leben, die Wärme und der Segen, die dahinterliegen, hindurchströmen können – eine Ritze, durch die der lebenserweckende Wind des Gottesgeistes bläst.
In einem benediktinischen Nonnenkloster gilt der Segen viel. Wir leben nach der Ordensregel des heiligen Benedikt, der, wenn man seinen Namen übersetzt, der „Gesegnete" heißt. Die meisten der täglichen sechs gemeinsamen Gebetszeiten enthalten an exponierter Stelle ein Segensgebet. Die Priorin segnet die Schwestern zur Nacht, zu einer Aufgabe, zu einer Reise. Ja, man holt sich den Segen, wenn man ihn braucht. Auch die Speise wird gesegnet und noch manches mehr. Im monastischen Raum liegt das Thema des Segens und Segnens nahe. Aber die Sache gilt darüberhinaus.
Und es könnte gewiß manch einem helfen, sich dieses bisweilen auf den ersten Blick seltsam anmutende Land des Segens anzusehen, ja ein paar Schritte hineinzuwagen. Es könnten die ersten Schritte einer Entdeckungsreise werden.
Es gibt viele Wege, die man bei einer solchen Entdeckungsreise einschlagen kann. Einer ist der

Weg der Sprache, ein anderer der der vielen Gesten und Formen, ein anderer der exemplarischer Menschen. Nicht als ob damit das Thema erschöpft wäre. Es gibt noch viel mehr als das, es steckt noch mehr dahinter.

I. SPRACHE

Die Worte, mit denen wir uns ausdrücken, sind keine ein für allemal klar abgegrenzten Abstraktionen. Sprache ist lebendig. Worte wachsen, verändern sich, sie haben ihre je eigene Geschichte. Wenn wir eines eine Weile ruhig ansehen, ohne gleich zum nächsten weiterzueilen, führt es uns ein in neue Zusammenhänge, Querverbindungen und Verwandtschaften.

Segen als Signum

Unser deutsches Wort Segen leitet sich vom lateinischen „signum" ab, das uns z.B. auch im heutigen Französisch als „le signe", im heutigen Englisch als „sign" wiederbegegnet, beide Male in der Bedeutung von „Zeichen". Im Lateinischen steht „signum" für verschiedene untereinander verwandte Dinge. An erster Stelle ist es ein Zeichen, ein Merkmal; als Erkennungszeichen beispielsweise tritt es uns in Wappen, Fahne und Siegel entgegen. In Verbform kommt es in diesem Sinn als bezeichnen, versiegeln, prägen und bemerken vor. Weiterhin sprach man im Lateinischen auch von einer Figur, einem Götterbild als Signum. Götterbilder galten ja als Zeichen und Garant für den Schutz durch eine bestimmte Gottheit und deren Segen. Von daher versteht sich die Zerstörung der Heiligtümer besiegter Völker und Stämme durch die Eroberer, von denen auch im Alten Testament mehrfach die Rede ist. Indem man das Bildnis der Gottheit zerstörte, brach man deren Macht, Einfluß und Segenskraft für die Stadt, in der sie als Lokalgottheit verehrt wurde.

Eine biblische Variante zu diesem Thema ist der Verlust der israelitischen Bundeslade, die in ihrer Weise gewiß auch ein Signum darstellt. Man hatte sie eigens aus Schilo ins Kampfgebiet geholt, damit sie Israel siegen helfe in der Schlacht gegen die Philister. Israel jedoch verliert Schlacht und Bundeslade. Die Frau des Pinhas sagt: „Die Herrlichkeit Gottes ist dahin, denn die Lade Gottes ist verloren“ (1 Sam 4,22). Das 1. Buch Samuel beschreibt nun die Wirkung der Bundeslade im Land der Philister folgendermaßen:

Die Philister brachten die Lade Gottes, die sie erbeutet hatten, von Eben-Eser nach Aschdod. Sie trugen sie in den Tempel des Dagon und stellten sie neben Dagon auf. Als die Einwohner von Aschdod am nächsten Morgen in den Tempel kamen, lag Dagon vor der Lade des Herrn mit dem Gesicht auf der Erde. Sie nahmen ihn und stellten ihn wieder an seinen Platz. Als sie am Morgen des nächsten Tages kamen, lag Dagon wieder vor der Lade des Herrn mit dem Gesicht auf der Erde. Sein Kopf und seine beiden Hände waren abgeschlagen und lagen auf der Schwelle; nur sein Rumpf war ganz geblieben . . . Und die Hand des Herrn lastete schwer auf den Einwohnern von Aschdod. Als die Einwohner von Aschdod sahen, was geschah, sagten sie: Die Lade des Gottes Israels darf nicht bei uns bleiben, denn seine Hand liegt hart auf uns und auf unserem Gott Dagon“ (1 Sam 5, 1–4, 6a, 7).

Anders erlebten es die Römer, die die Götterbilder der besiegten Städte nicht zerstörten, sondern sie nach Rom brachten und im Pantheon aufstellten. Dieser Götter waren ja Schutzgötter. Indem die Römer nun z.B. die Statue der Aphrodite von Ephesus oder der Pallas Athene von Athen nach Rom in ihr Pantheon holten, glaubten sie auch deren Schutz für ihre eigene Stadt zu sichern.

Das Zeichen der Christen ist an erster Stelle das Kreuz. So gibt es im spät- und mittellateinischen

Wortschatz die Form von „se signare“ für „sich bekreuzigen“, und im Zug der Sprachentwicklung verwendet man „signare“ dann auch als „segnen“ und „signum“ als „Segen“. In gewissem Sinn ist das Kreuz jedoch ein Anti-Signum, ein Gegenzeichen zu allen üblichen Zeichen von Kraft, Macht und Fruchtbarkeit. Bevor es ein Siegeszeichen wird, ist es ein Galgen, Zeichen der Vernichtung, und die Wahrheit des Gekreuzigten läßt sich nie ignorieren. Jesus, der daran festgenagelt wird und stirbt, überwindet unsere Sündenverlorenheit und den Tod, indem er an deren tiefsten Punkt hinabsteigt und von dorther aufgeweckt wird. Über wessen Leben dieses Signum und Siegel (das ja entscheidend auch ein Besitzzeichen ist), das Zeichen des Kreuzes steht, der wird nun sein Leben von diesem Zeichen prägen lassen müssen. Denn, ob wir wollen oder nicht, Christus schenkt uns seine Erlösung auf dem mitunter gegenläufig scheinenden Weg des Kreuzes, den wirklich keiner von uns ersonnen hätte. Und seit ihrer Frühzeit hat die Kirche aus der tiefen Erfahrung dieses Geschenkes heraus den Mut gefunden, Menschen und Welt gerade in diesem Zeichen des Kreuzes zu segnen.
Im Mittelalter nahm man zu diesem Segen häufig Gegenstände, die besonders verehrt wurden: Reliquien eines heiligen Menschen, der sein ganzes Leben auf Gott hin gelebt hatte, in dessen Leben und Sterben Gottes Segen zum Tragen kam, spürte man den Segen konkret und dicht gegenwärtig. Und im Glauben, daß Gott seinen Segen nie zurücknimmt, barg der mittelalterliche Mensch sich, seine Zeit und Not im Segenschatten der Gebeine der Heiligen.
Besonders beliebt wurde seit dem Mittelalter der eucharistische Segen mit der Monstranz, der auch in Kreuzform gespendet wird. Da wird der

Mensch mit dem göttlichen Geheimnis der Inkarnation in unserer Welt und unserem Leben selbst gesegnet. Das ist übrigens der einzige Segen, der nur mit der Geste ohne begleitendes Segenswort gegeben wird.
Erwähnenswert ist in diesem Zusammenhang auch noch das Segensbild, das Franziskus für Bruder Leo zeichnete, nachdem er selbst zuvor die Wundmale erhalten hatte. Zuerst schrieb er darauf den aaronitischen Segen: „Gott segne und behüte dich, er zeige dir sein Angesicht und erbarme sich deiner. Er wende dir sein Angesicht zu und gebe dir Frieden" (Num 6,24–27). Unter dieses Segenswort zeichnet er ein großes T (Tau), den letzten Buchstaben des hebräischen Alphabets, ein Zeichen des Auserwählt- und Gesandtseins.
Dies geht zum einen auf die Vision des Propheten Ezechiel zurück (Ez 9,4), Menschen, die in Not sind, werden mit diesem Zeichen der besonderen Zuwendung Gottes gezeichnet. Zum anderen ist das T von alters her eben auch eine Form des Kreuzes, des aufgepfählten Querbalkens, an dem Christus hing, dem Ort der äußersten Erniedrigung Gottes in der menschlichen Geschichte, dem Zeichen – Signum – der Demut Gottes. Nach dem Zeugnis der Geheimen Offenbarung werden mit diesem T alle Knechte Gottes gezeichnet (Offb 7,3). Im Bild des Franziskus ist dieses T über die Stirn eines Menschenkopfes gezeichnet.[1]
Doch aller Segen, mit dem ein Mensch überhaupt bezeichnet werden kann, wirkt nur in dem Maß, wie dieser Mensch einschwingt in das Bezeichnete und sich selbst der Gotteskraft öffnet, die da auf ihn zukommt, die ihm nottut und gut tut im Leben.

Segen oder Fluch

Gehen wir ein Stück weiter auf dem Weg der Sprache, treffen wir auf ein seltsames Paar. Sie gehören ohne Frage zueinander, jedoch nur als Alternative: Segen und Fluch, besser: Segen oder Fluch. Wie viele andere Gegensatzpaare durchziehen sie unser Denken, Sprechen und Verstehen. Angesichts der zahllosen Gegensätze übersehen wir leicht, wie sie aus der je gleichen Wurzel herauswachsen.

Das 5. Buch Mose, das Deuteronomium, beschreibt, wie Mose sein Volk zur treuen Beachtung der gottgeschenkten Gesetze verpflichtet. Bemerkenswert ist in unserem Zusammenhang die Überleitung zu diesem Gesetzeswerk. Mose sagt nämlich dort zu den Israeliten:

„Heute werde ich euch den Segen und den Fluch vorlegen: den Segen, wenn ihr auf die Gebote des Herrn eures Gottes hört, und den Fluch für den Fall, daß ihr nicht auf die Gebote des Herrn eures Gottes hört, sondern vom Weg abweicht . . . (Dtn 11,26–28a)

Gegen Ende dieses biblischen Buches stellt Mose ihnen noch einmal die Alternative vor Augen. Wenn das Volk Gottes Weisungen gemäß lebt, wird Gottes Segen seinen Weg begleiten. Verschließt es sich aber den guten Weisungen Gottes, wird ihnen die positive Kraft des Segens, die ihr Heil und Wohlergehen festigen sollte, zum Unheil gereichen und sich gegen sie wenden.

Leben und Tod lege ich dir vor, Segen und Fluch. Wähle also das Leben, damit du lebst, du und deine Nachkommen. Liebe den Herrn, deinen Gott, höre auf seine Stimme und halte dich an ihm fest, denn er ist dein Leben (Dtn 30, 19b + 20a).

Hier spricht sich die Erfahrung aus, wie die Abkehr des Menschen von Gottes Ordnung in all der Schöpfung, die wir sind und in der wir leben, Unheil bewirkt und Unrecht ist, sozial, politisch, ökologisch, persönlich – das geht in alle Bereiche des Lebens hinein.

Ja, unsere Art des Umgangs mit den Kräften des Lebens provoziert deren Auswirkungen. Und je dichter unsere weltweite Verflochtenheit wird, umso dringlicher ist der verantwortete Umgang mit diesen Kräften.

In vielen Bildern und Figuren weisen uns die Märchen auf die Alternative von Segen und Fluch hin, zum Beispiel im Märchen vom Dornröschen.

Lang hatte ein Königspaar vergeblich auf die Geburt eines Kindes gewartet. Endlich gebiert die Königin ein schönes Mädchen. Die Freude ist riesengroß. Darum soll ein großes Fest gefeiert werden. Der König lädt Verwandte, Freunde, Bekannte und die Mächtigen seines Reiches ein . . .

und auch die weisen Frauen, damit sie dem Kind hold und gewogen wären. Es waren ihrer dreizehn in seinem Reich; weil er aber nur zwölf goldene Teller hatte, so mußte eine von ihnen daheimbleiben. Das Fest ward mit aller Pracht gefeiert, und als es zu Ende war, beschenkten die weisen Frauen das Kind mit ihren Wundergaben: die eine mit Tugend, die andere mit Schönheit, die dritte mit Reichtum, und so mit allem, was auf der Welt zu wünschen ist. Als elf ihre Sprüche eben getan hatten, trat plötzlich die dreizehnte herein. Sie wollte sich dafür rächen, daß sie nicht eingeladen war, und ohne jemanden zu grüßen oder nur anzusehn, rief sie mit lauter Stimme: „Die Königstochter soll sich in ihrem fünfzehnten Lebensjahr an einer Spindel stechen und tot hinfallen." Und ohne ein Wort weiter zu sprechen, kehrte sie um und verließ den Saal. Alle waren erschrocken, da trat die zwölfte hervor, die ihren Wunsch noch übrig hatte, und weil sie den bösen Spruch nicht aufheben, sondern nur mildern konnte, so sagte sie: „Es soll aber kein Tod sein, sondern nur ein hundertjähriger Schlaf, in welchen die Königstochter fällt".[2]

Trotz aller nun folgenden Vorsicht seitens der Königseltern erfüllen sich Segen und Fluch der weisen Frauen, und als sich das Dornröschen an seinem 15. Geburtstag an der Spindel sticht, da wird das ganze Schloß in seinen langen Schlaf mit einbezogen und erst nach hundert Jahren mit ihm auch wieder auferweckt.
Das alles begann, weil eine einzige der weisen Frauen, dieser bildlichen, märchenhaften, ganz und gar wirkmächtigen Urkräfte des Lebens, ignoriert, nicht zum Fest zugelassen wurde und sich rächte. Die Kraft zum Segnen geriet zum Fluch.
Als Gegenstück und Ergänzung mag die biblische Geschichte des Propheten Bileam aus dem alttestamentlichen Buch Numeri dienen. Auf ihrer Wanderung ins Gelobte Land wollen die Israeliten durch das Gebiet von Moab ziehen. Balak, der König der Moabiter, fürchtet sich vor der Stärke Israels. Da schickt er zum Propheten Bileam: „Komm her und verfluch mir dieses Volk, denn es ist zu mächtig für mich. Vielleicht kann ich es dann schlagen und aus dem Land vertreiben. Ich weiß, wen du segnest, der ist gesegnet; wen du verfluchst, der ist verflucht" (Num 22,6). Bileam fragt Gott, was er tun soll, und der antwortet ihm: „Geh nicht mit! Verfluch das Volk nicht, denn es ist gesegnet" (Num 22,12). Balak läßt jedoch nicht nach und wirbt hartnäckig um Bileam, und vom versprochenen Reichtum geblendet reitet der Prophet schließlich mit Balaks Leuten mit. In einer ernsten, aber auch humorvollen Weise wird Bileams nun folgender Weg erzählt. Es ist nachlesens- und nachdenkenswert. Schließlich steht Bileam in der Nähe des israeliti-

schen Lagers, und ganz Moab wartet auf seinen Fluch. Stattdessen gehorcht Bileam aber nun der Gotteskraft, die in ihn ein- und durch ihn hindurchströmt, und dreimal segnet er Israel mit Gottes Segen.

Auch durch uns strömt Tag für Tag viel Lebenskraft in unsere Umgebung. Wollten wir anfangen zu zählen, fänden wir womöglich bald heraus, wieviel mehr Äußerungen des Unmuts als Segen da über unsere Lippen kommen. Dabei wäre es gar nicht so schwer, gegen diese oft bloß eingefahrenen negativen Gewohnheitsreaktionen einen positiven Blick einzuüben. Meist geht es dabei ja nicht um große Anlässe.

Benedikt weist in seiner Regel den Pförtner des Klosters an, er solle jedesmal, wenn einer an seine Türe klopft oder ein Armer um etwas bittet, „Deo gratias" oder „Segne mich" antworten (RB 66,3). So übt sich denn langsam aber gewiß eine Haltung ein, nur müssen wir dazu wirklich auch an einem Zipfel unseres Lebens damit anfangen. Das tut dann uns und anderen gut.

Und wenn es dann einmal schlimmer als alltäglich üblich kommen sollte, ist unser Leben vielleicht schon an Jesu Wort und Beispiel ausgerichtet, der uns sagt: „Euch, die ihr mir zuhört, sage ich: Liebt eure Feinde; tut Gutes denen, die euch hassen. Segnet die, die euch verfluchen . . ." (Lk 6,27 f). In seiner Aufforderung, aus dem Geist Jesu Christi zu leben, schreibt dementsprechend der Apostel Paulus im Römerbrief: „Segnet eure Verfolger, segnet sie, verflucht sie nicht" (Röm 12,14). Er weiß, wovon er spricht, schreibt er doch an einer anderen Stelle: „Wir plagen uns ab und arbeiten mit eigenen Händen, wir werden beschimpft und segnen, wir werden verfolgt und halten stand, wir werden geschmäht und trösten" (1 Kor 4,12).

Wir könnten doch klein damit anfangen. Klein aber konkret anfangen, die Kraft, die in uns steckt und täglich herauswill und herauskommt, im Guten herauszulassen. Denn, segnen kann man üben, segnen kann man lernen.

Segen als Benediktion

Schlägt man in lateinischen Texten und Bibelübersetzungen nach, stößt man im Zusammenhang mit „segnen" auf das Wort „benedicere". So heißt es beispielsweise im Psalm 134, der uns weiter unten noch einmal begegnen wird: Benedicat te Dominus ex Sion, qui fecit caelum et terram (Es segne dich der Herr vom Sion her, der Himmel und Erde gemacht hat). Im liturgischen Sprachgebrauch gibt es, abgeleitet von „benedictio", die Benediktion, das Segens- und Weihegebet. Das Buch, in dem Riten und Formeln kirchlichen Segens zusammengefaßt sind, wird demgemäß Benediktionale genannt.
In kaum veränderter substantivischer Form kommt das Wort auch im Englischen und Französischen vor. Bei näherem Hinsehn lassen sich bei diesem Wort „benedicere" bemerkenswerte Zusammenhänge entdecken.
Aus zwei Grundworten zusammengefügt, bedeutet es in dieser ersten Form „bene dicere", daß einer schön, gut, richtig, passend von etwas redet. An dieser Stelle tut es zum besseren Verständnis von dicere, sprechen, gut, wenigstens noch einmal kurz über die Bedeutung von Worten überhaupt nachzudenken. Was gilt und wiegt ein Wort?
Zwei gegensätzliche Haltungen lassen sich erkennen. Der einen gilt das Wort nicht viel, es ist leichtfertig für alles zu gebrauchen und oft genug

zu mißbrauchen. Worte sind Schall und Rauch, läßt Goethe den Faust in diesem Sinne sagen. Die andere Haltung ist überzeugt von der dem Wort innewohnenden Kraft, die macht, daß es bewirkt, was es aussagt. Das führt in seinen Extremformen in den Bereich der Magie, ist aber von seinem Ansatz her nicht ein bloßer Aberglaube, der rasch überwindbar und sinnvoll zu überwinden wäre.

Vielmehr scheint mir das Gespür richtig, Worte sind kraftvoll, klarer noch: wir geben unsere Kraft in die Worte, die wir sprechen, und diese Kraft fließt weiter, konstruktiv oder destruktiv, je nachdem.

Teilhard de Chardin war überzeugt vom Einfluß des Sprechens auf das geistige Klima, die Atmosphäre, die Noosphäre, wie er sagt, der Welt. Jedes Wort, gesprochen oder auch nur gedacht, strahlt aus und trägt mit bei zur Verteilung der Gewichte im Ganzen der Welt.

Der Radiosender mit seinen ausgestrahlten Wellen mag als Beleg dienen für die Realität der Sache. Und hier liegt auch einer der Gründe für die Kraft des Betens und den Sinn der beispielsweise sechs gemeinsamen Gebetszeiten in einem kontemplativen Kloster.

Im Erleben dieser Wahrheit von der Wirkmächtigkeit des Sprechens bildete sich in der lateinischen Sprache aus dem bene dicere das benedicere in der Bedeutung von preisen, rühmen, weihen und segnen. – Ihm entsprechen im Griechischen die Wortformen um eulogein und im Hebräischen die um barach. – Als Gegenstück dazu – und das macht wieder die ganze Ambivalenz des Sprechens deutlich – gibt es das maledicere als lästern und schmähen, und weiterhin im spät- und mittellateinischen Wortschatz das Wort maledictio als Fluch und Verwünschung. Was wir zur

Sprache bringen, ist ganz und gar nicht einerlei. In dem kleinen Psalm 134 werden die Beter im Tempel zu Jerusalem aufgefordert, Gott zu preisen. Es heißt dort:

Ecce benedicite Dominum omnes servi Domini
qui statis in domo Domini per noctes.
Extollite manus vestras ad sanctuarium et benedicite Dominum.
Benedicat te Dominus ex Sion, qui fecit caelum et terram.
Wohlan, nun preiset den Herrn,
all ihr Knechte des Herrn,
die ihr steht im Hause des Herrn zu nächtlicher Stunde.
Erhebt eure Hände zum Heiligtum
und preiset den Herrn.
Es segne dich der Herr vom Sion her, der Herr,
der Himmel und Erde gemacht hat.

Der Beter preist Gott, in dessen Tempel er steht, mit Leib und Seele und auch in der Nacht. Er preist Gott, weil er groß und herrlich ist, hilfreich und stark, zumeist jedoch deshalb, weil dieser Gott eben sein lebendiger Gott ist. Hier anerkennt der Mensch im Lobpreis seinen Gott, er tritt ein in die Begegnung, er bindet sich zurück (religio bedeutet im Wortsinn Rückbindung) an den heilenden Kraftstrom seines göttlichen Ursprungs. Und sein Lobpreis flutet als Segen auf ihn zurück im gleichen Wort „benedicere".
Diesen Gedanken finden wir bei der Eucharistiefeier wieder in der 4. Wochentagspräfation. Dort heißt es unter der Überschrift: „Gotteslob als Gottesgeschenk":

In Wahrheit ist es würdig und recht, dir, allmächtiger Vater zu danken und deine Größe zu preisen. Du bedarfst nicht unseres Lobes, es ist ein Geschenk deiner Gnade, daß wir dir danken. Unser Lobpreis kann deine Größe nicht mehren, doch uns bringt er Segen und Heil durch unsern Herrn Jesus Christus.

Und wiederum lesen wir im Epheserbrief des Apostel Paulus:

Benedictus Deus et Pater Domini nostri Jesu Christi, qui benedixit nos in omni benedictione spiritali in caelestibus in Christo.
Gepriesen sei der Gott und Vater unseres Herrn Jesus Christus, er hat uns mit allem Segen seines Geistes gesegnet durch die Gemeinschaft mit Christus im Himmel. Eph 1,3

Im Lobpreis meint der preisende Mensch den lebendigen Gott, auch dort, wo er sich in seiner Schöpfung zeigt, offenbart, ja im wörtlichen Sinn „ent-deckt". Und wenn er den Lobpreis über die einzelnen Schöpfungsgaben spricht oder singt, dann werden diese in ihrer tiefen Gottbezogenheit erkennbar, dann sind sie gesegnet, geweiht, geheiligt. Gesegnet ist etwas in dem Maß es auf Gott bezogen ist. Im Preisen und Rühmen – gewiß nicht nur darin, aber darin doch in einer besonderen Weise – hält der Mensch sich und alles Seinige Gott hin, so wie der im Psalm 134 angesprochene Beter, der mit ausgebreiteten, offenen Händen im Tempel vor seinem Gott steht. Ihm vertraut er sich an. Wer so auf Gott ausgerichtet ist – auch in der Nacht – erfährt den Gottessegen.
In den Schriften des Alten Testamentes wird dieser Gottessegen oft in sehr greifbaren, anschaulichen Bildern dargestellt: Landbesitz, Wohlstand, viele Nachkommen, Gerechtigkeit und Frieden, um nur einige wenige zu nennen. Doch so sicher gilt, daß der Segen ein ganzes Leben in seiner je konkreten Form durchdringt, so bleibt doch offensichtlich, daß die Beachtung der oberflächlichen Topographie eines Lebens allein zu wenig ist, um den Segen zu ermessen, der auf einem Leben liegt. Auch das Alte Testament kennt den Menschen, der im Feuer steht und doch ge-

segnet ist. Die Tiefen und Höhen, in die der Segen reicht, sind mit unseren gängigen Maßstäben wohl selten auszuloten. Ein Beispiel hierfür von großer Eindringlichkeit ist die Geschichte der drei Jünglinge im Feuerofen, die uns das Buch Daniel in seinen drei ersten Kapiteln erzählt.

Unter den Israeliten, die im 6. Jahrhundert vor Christus nach Babylon verschleppt werden, so wird berichtet, sind auch die jungen Männer Hananja, Mischael und Asarja. Man holt sie an den königlichen Hof, um sie dort auszubilden für den Dienst beim König. Bald schon zeichnen sie sich durch Weisheit aus. Als jedoch König Nebukadnezzar ein goldenes Standbild zur Huldigung und Anbetung aufstellen läßt, weigern sich die drei, die durch alle Zeit und Widerfahrnisse ihrem treuen Gott die Treue bewahrten, diesem Bild zu huldigen. Weder der Zorn des wütenden Nebukadnezzar, noch der drohende Feuerofen können sie darin umstimmen.

In der Verschleppung nach Babylon haben sie Gott nicht verloren, in der steilen Karriere am Königshof seiner nicht vergessen, und wenn sie nun der Glut des Feuers ausgeliefert werden, soll er der Gott ihres Lebens und Sterbens bleiben – mag er sie retten oder nicht (Dan 3,17). Schon ins Feuer geraten, preisen sie noch ihren Gott und beten zu ihm. Und Gott bewahrt sie in der Drangsal des Feuers. Auch Glut und Flammen bleiben, doch sie schaden ihnen nicht. Gott bewahrt sie nicht vor dem Feuer sondern *darin*, und er sendet seinen Engel, der ihnen hilft zu singen! Gottes Segen hat viele Formen und Gestalten. Unser Denken in Gegensätzen faßt das oft nicht.

Immer ist es Gott, der segnet. Aber Menschen können einander Gottes Segen wünschen und erbitten (1 Sam 2,20). Ja, zeitweise wurden Segens-

wünsche zu einem Gruß, den man selbstverständlich austauschte. So grüßt Saul den Samuel: „Der Herr segne dich“ (1 Sam 15,13; oder auch 2 Sam 19,40). Und gelegentlich steht der Ausdruck „jemanden segnen“ einfach für grüßen (Gen 47,7; 2 Kö 4,29).
Immer geht es beim Segnen um die Gottbezogenheit. Wenn Menschen einander segnen, wollen sie sich dazu helfen. Und auch in den Sprachgewohnheiten unserer entchristlichten Gesellschaft sind zahllose Restbestände davon nicht kleinzukriegen. Das Grüßen und Wünschen und, in diesem Sinn, das Segnen durchziehen unser Leben, auch wo wir uns dessen oft kaum noch bewußt sind.

Das Zeitliche segnen

Noch eine letzte Wendung auf dem Weg der Sprache, ein beim ersten Hinschauen merkwürdiges Wort. Man sagte früher, wenn ein Mensch starb, „er segnet das Zeitliche“. Das Zeitliche segnen, was meint denn das? Wie geht denn das? Das Wort ist uns fremd geworden, doch wir können uns behutsam und ganz neu zu seiner heilenden Wahrheit hintasten.
Segnen ist eine Geste des Gebens. Da wird nicht genommen und behalten, da wird gegeben, da wird Lebenskraft weitergegeben. Etwas zu geben bedeutet aber immer auch etwas loszulassen. Und darin sind Segnen und Sterben einander sehr verwandt. Nun kann einer ja auf ganz verschiedene Weise loslassen. Es kann einer auch loslassend etwas wegwerfen und so zeigen, ich will das nicht oder nicht mehr haben, annehmen und tragen. Wenn der segnende Mensch „losläßt“, Lebenskraft drangibt, dann verneint er nicht, son-

dern bejaht das Leben, eine Form, einen Weg, irgendeinen Keim, der aufbrach. Darum segnet einer ja mit der Kraft, die da durch ihn hindurchfließt, damit dieses bejahte Leben gelinge. Es braucht Liebe zum Segnen.
Der Segen, mit dem ich hoffentlich einmal das Zeitliche segne, wird dann nicht mehr nur einem Teil meines Lebens gelten, wie jeder Segen zuvor, sondern dem Ganzen. Und der ganze Mensch mit all seinen Gliedern und Sinnen und aller dazugehörigen Geschichte segnet da – mit Augen, die vielleicht nicht mehr scharf erkennen und doch klar sehen, mit Füßen, die abgelaufen und verschlissen sind vom Wegesuchen und doch noch mutig den letzten Schritt wagen, mit Händen, die soviel schafften und berührten und dann, wieder einmal leer, ganz stille werden. Jörg Zink schreibt darüber:

In der gütigen Geste des Abschieds, in der wir das „Zeitliche segnen", bejahen wir die Welt, bejahen wir unsern Weg, bejahen wir den Willen dessen, der uns geführt hat, und befehlen ihm an, was war und was ist.
Indem wir das Zeitliche segnen, segnen wir auch das, was nicht gewesen ist, was immer ersehnt war und nie kam.
Indem wir das Zeitliche segnen, söhnen wir uns aus mit dem, was uns fehlte, und bewahren unser Herz davor, bitter Abschied zu nehmen.
Indem wir das Zeitliche segnen, das Gewesene bejahen, nehmen wir das Kommende an und folgen der Stimme, die uns den Abschied zumutet.
Und mit dem Segen geht die Liebe in ihren Anfang zurück. Mit dem Segen geht sie zurück in die schöpferische Kraft Gottes zu einem neuen Anfang.[3]

Der Segen ist wie eine Ritze in der Wand, ein Riß in der Mauer, wo das Licht hereinfällt. Wenn ein Mensch im Abschied des Todes vor der schmalen Tür zu einem neuen Lebensraum, ja schon auf der Schwelle steht, wenn er, wie wir sagen, das

Zeitliche segnet, fällt oft viel Licht herein. Wer dabeisteht, spürt es und staunt leise.
Doch das Sterben beginnt nicht erst im Tod, zahllose Male sterben wir, während wir leben, kleine Tode, bei jedem Abschied, vor jedem Neubeginn, kleine Tode gefolgt von Ansätzen einer Auferstehung, wie Roger Schutz einmal sagt. Wir können nicht erst im letzten Augenblick lernen gut zu sterben. Geradeso ist es mit dem Segnen.
Ein möglicher Ort dies zu lernen kann das Segnen der Zeit sein. Nun gibt es im schon erwähnten Benediktionale, dem liturgischen Buch mit den gebräuchlichen Segnungen, für alles mögliche eine Segensformel, für das Kind, für Vater und Mutter, den Pilger, den Kranken, den Toten, für Haus und Herd, Werkstatt, Acker und Stall, für Aussaat und Ernte, für Schule, Bibliothek, Apotheke und Krankenhaus, für Auto und mancherlei Fahrzeug, für Pflanzen und Tiere. Das Segnen der Zeit kommt in all der gegebenen Vielfalt vorgeschlagener liturgischer Formen nicht vor. Und doch ist diese Zeit segensbedürftig, diese kostbare Zeit, so oft vergeudet und vertan, die unserm Jahr und Tag Maß und Form gibt, das Chaos des Formlosen überwindet und dem Leben Ordnung gewährt.
Das Gespür für eine Segnung der Zeit war und ist dennoch weitverbreitet. Im Brauchtum vieler Landschaften und Klöster gab es – und gibt es auch heute noch mancherorts – ein bestimmtes Gebet oder Kreuzzeichen beim Stundenschlag der Glocken. Und Theodor Schnitzler regte an, das Stundengebet der Kirche als Benediktion, Segnung der Zeit anzusehen.[4] In ihm werden ja alle Tageszeiten von den Laudes am frühen Morgen bis zu den Vigilien in der Nacht (oder an deren Anfang oder Ende) durchbetet, ins Gebet

hineingeholt. Wo dies geschieht, fließt Segen ins Leben, wird die Zeit gesegnete, gottbezogene Zeit, d.h. für den Christen christusgehörige Zeit. Die Zeit bringt Veränderung, die Zeit bringt Gefährdung, im durchbeteten Wechsel der Stunden entpuppt – dies in der ursprünglichen Bedeutung – sich die Zeit als Heilszeit, Heilsgeschichte.

Das Christusereignis prägt im Stundengebet die Kirchenjahre und -tage und formt durch alle Zeiten, Wechselfälle und Kämpfe den betenden Menschen. Er lernt im täglichen Tun die segenshungrige Zeit zu segnen und wird schließlich mit der Gnade Gottes, im Blick auf Christus, in seiner letzten Stunde, wie wir sagen, das Zeitliche segnen.

II. ZEICHEN UND GESTEN

Gehen wir einen zweiten Weg in das Land des Segens und Segnens hinein, den Weg der Zeichen und Gesten. Wir sind leibhaftige Menschen, können menschlich gar nichts anderes sein. Nirgends kann unser Leben ohne Form und Gestalt existieren. Ja, mehr als in Worten vollzieht es sich in Zeichen und Gebärden, deren bildhafte Sprachen uns bis in die Tiefenschichten unseres Wesens hinein anrühren, ansprechen und fordern. Ehe wir Worte dafür finden, drücken wir schon in der Sprache unseres Leibes und seiner Gebärden aus, wie erschrocken und bange, wie getröstet und ermutigt, wie glücklich oder verzweifelt wir sind. In der Schöpfung und jeder Art von Kultur begegnen dem Menschen Formen und Zeichen, die ihn in symbolischer Dichte das Leben zu verstehen und zu deuten lehren.

So wie in Zeichen und Gebärden die ganze Verwundung des Menschen und seiner Gesellschaftsformen, ja der ganzen Schöpfung überhaupt, zum Ausdruck kommt, so vermögen auch Zeichen und Gebärden je neu den Zugang zu den positiven und heilenden Kräften des Lebens zu erschließen.

Demgemäß sind Segnungen immer Zeichenhandlungen, die das Leben in seinen vielerlei Gestalten, Phasen und Situationen aus einem lebendigen Glauben im Blick auf Gott ansehen und an das große, göttliche Leben zurückbinden (religio, s.o.). Mit Ausnahme des o. g. eucharistischen Segens mit der Monstranz gehören dabei im kirchlichen Segen, auf den wir uns hier beschränken wollen, Wort und Geste zusammen.

Segnen im Zeichen des Kreuzes – der Schlußsegen der Messe

Wie sehr der Segen und das Kreuzzeichen zueinander gehören, klang bereits weiter oben an (Segen als Signum). Das Kreuzzeichen ist der kirchliche Segensgestus schlechthin. Es begleitet regelmäßig das Segensgebet. Im sogenannten großen Kreuzzeichen bezeichnet der Mensch in ausdrucksstarker Weise Stirn, Brust, linke und rechte Schulter (in der älteren Form der Ostkirche rechte und linke Schulter, unsere Form ist erst seit dem 14. Jahrhundert im Westen allgemein üblich) mit dem Zeichen des Kreuzes. Versteht man den Kopf als den Sitz der intellektuellen Kräfte, Brust und Leib als Sitz des Herzens, der gemüthaften und vitalen Kräfte, die Schultern als Ansätze unserer Arme und Hände, mit denen wir ans Werk gehen, so wird deutlich, wie dieses Kreuzzeichen den ganzen Menschen bezeichnen will, mehr noch: besiegeln soll mit dem Siegel Christi, dem Kreuz, an dem er aus Liebe zu uns starb, durch das uns Rettung und alles Heil gekommen ist.
Dieses Bezeichnen und Besiegeln, das im Griechischen „Sphragizein“ heißt, war lange Zeit hindurch in der Frühkirche ein Äquivalent für „Taufen“. Auch in der mit dem Kreuzzeichen vielfach verbundenen Anrufung: „Im Namen des Vaters und des Sohnes und des Heiligen Geistes“, die so aus dem frühen Mittelalter stammt, tritt der Bezug zur Taufe klar hervor, ist diese Segensformel doch der Aufforderung Jesu Christi an die Jünger zu taufen entnommen (Mt 28, 19b).
Sich zu bekreuzen meint also, sich der Taufe zu erinnern, in der der Mensch sich Gott übereignete und ganz anvertraute im Zeichen Jesu Christi, der, um uns zu retten, für uns am Kreuz starb

und aus dem Tod auferstand. Und da wir dies bei unserer Taufe zumeist nicht persönlich getan haben, sondern unsere Eltern und Paten dies – wie vieles andere auch – in sorgender Liebe übernommen haben, müssen wir uns irgendwann einmal selbst entscheiden, uns selbst dahineingeben, das Siegel und Besitzzeichen über uns annehmen, die Taufe erneuern, aktualisieren, die Übereignung leben. Denn nur wer sich Gott anvertraut hat, kann aus diesem Vertrauen auf Gott leben. Das ist nicht nur ein einmaliger Akt, sondern ein Prozeß, ein Gang, ein Werdegang. Das Bezeichnen und Bezeichnetwerden mit dem Kreuzzeichen kann da eine wirkliche Hilfe sein. Denn in diesem Bezeichnen denke ich nicht in einer abstrakten Weise darüber nach oder erinnere mich an eine religiöse Wahrheit, nein, ich gerate selbst leibhaftig hinein in diese Wahrheit, die ja meinem ganzen Leben gilt in all seinen Schichten und Winkeln, in all seiner leibhaftigen Konkretheit.
Uns selbst und alles, was wir bekreuzen, stellen wir in den großen Zusammenhang gesegneten, gottbezogenen Lebens. Die Urform des Kreuzzeichens, die jahrhundertelang allein üblich war, das Kreuz auf der Stirn, wird uns weiter unten noch beschäftigen. Hier sei nur noch wegen seiner Gebräuchlichkeit auf den Schlußsegen der Messe verwiesen.
Der Schlußsegen der Messe, wie wir ihn heute kennen, ist eine liturgisch noch gar nicht so alte Form. Erst seit dem späten Mittelalter segnet der Priester innerhalb der Messe die Gläubigen. Schon viel früher gab es in Rom den Brauch, daß der Papst beim Verlassen des Altars die verschiedenen Gruppen segnete. Das wurde bald von den Bischöfen übernommen. Schließlich wurde dieser angehängte Segen vom Altar aus gegeben. In Gallien bildete sich bereits im 5. Jahrhundert der

Brauch heraus, daß der Bischof – etwa seit 600 tat dies auch der Priester – diejenigen Gläubigen, die nicht kommunizierten (z.B. die Büßer), nach dem Vaterunser mit einem feierlichen Segen entließ. (Dieser war meist in drei Teile gegliedert und der Zeit des Kirchenjahres angepaßt; auch heute kennt das Meßbuch wieder zahlreiche Segensformeln dieser Art.) Als die römische Liturgie im fränkisch-gallischen Raum übernommen wurde, rückte dieser Segen ans Ende der Messe. Auf diesen liturgischen Werdegang war es dann zurückzuführen, daß der Segen bis 1967 erst nach dem Entlassungsruf gespendet wurde. Bei prompter Befolgung des (lateinischen) Entlassungsrufes, hätte sich dieser Segen wohl seltsam angeschaut. Nach der Liturgiereform von 1967 wird er vor dem Entlassungsruf erteilt.

Der Priester ruft den Segen des dreifaltigen Gottes auf die Gläubigen herab und zeichnet dabei mit seiner rechten Hand ein großes Kreuz über die Gemeinde. Die Gläubigen nehmen dieses Kreuzzeichen auf und bekräftigen diesen Segen mit ihrem „Amen“. Beim feierlichen dreigliedrigen Segensgebet breitet der Priester die Arme aus über die Gemeinde, bevor er den Handsegen in der beschriebenen Form gibt. Diese Geste wird uns weiter unten noch begegnen.

Über die liturgischen Entwicklungsgeschichten hinaus, deren Verständnis uns helfen kann, manche Geste neu zu entschlüsseln, scheint mir für unser Thema bedeutsam, wie die Kirche jahrhundertelang den Gläubigen, die nicht zum Mahl des Herrn, zur Kommunion, dieser tiefen Vereinigung Gottes mit dem Menschen, zugelassen waren (den Katechumenen und den Büßern), nichts Besseres zu geben wußte, als eben den Segen, in dem die geschenkte Gotteskraft durch menschliche Gesten hindurch weitergeschenkt wurde.

Segnen mit Weihwasser

Nahe dem Eingang steht in katholischen Kirchen immer irgendwo ein Weihwasserbecken. Viele Menschen, die zur Kirche hineinkommen, gehen hin, tauchen die Finger in dieses Wasser und bekreuzigen sich damit. Was tun sie denn da? Was heißt und soll denn das? Jemand, der mit kirchlichen Bräuchen nicht vertraut ist und solch ein Weihwassserbecken sieht, wird es wohl am ehesten für ein Wasserbecken zum Reinigen der Hände halten. Kommt dann einer herein und segnet sich wie beschrieben, so staunt und wundert sich der Fremde. Er spürt, daß hinter dieser seltsamen Geste mehr stecken muß. Ehe wir darangehen das zu entziffern, schauen wir zuerst auf etwas Grundlegendes, das es stets zu beachten gilt bei solcherlei Gebräuchen.
Es besteht wohl die Gefahr, daß in sich sinnvolle Bräuche, wenn man sie nur noch losgelöst von ihrem Wurzelgrund wahrnimmt, sich in den Händen des Menschen dem Bereich der Magie annähern und zwar dort, wo der Mensch versucht, die Dinge zu handhaben, mit ihnen überdingliche Wirklichkeiten zu manipulieren. Machtstreben und Sicherheitsbedürfnisse und manches andere wirken dahinein.

Das hat mit dem Wesen des Segens nichts mehr gemeinsam, bleibt im Bereich des Zwanghaften, führt nicht in die Freiheit und Weite des lebendigen Gottes. Nicht die Gebärde wirkt in sich, nicht das Zeichen aus sich selbst, sondern es ist immer die Gotteskraft, die durch Gebärde und Zeichen hindurchfließt. Nur dort, wo der Mensch ihr sein Leben und Wesen öffnet, kann sie – die immer bereit ist uns zuzufließen – ankommen und wirken mit ihrer heilenden Kraft.

In allem, was uns bei Tag und Nacht begegnet, ist Gott immer auch der ganz Andere, aber geradeso bleibt er auch immer der je Gegenwärtige in allem, was lebt (wenn es nur wirkliches Leben ist und nicht Tünche, Überbau, Drumherum). Dies vorweggenommen gilt dann, in die Gebärden des segnenden, dafür durchlässigen Menschen, in die Elemente der Schöpfung und ihre Zeichenhaftigkeit hinein birgt Gott seinen Segen. Gewisse Gebärden und Zeichen können uns – so verstanden und in Ehrfurcht getan – mit dem gesegneten Leben Gottes verbinden. Denn Gott steht zum Menschen und der Schöpfung, er ist die Urquelle jeglichen Lebens und aller anderen Quellen, ja er hat keine Scheu und Angst, sich unserem Leben im Geheimnis der Inkarnation zu verbinden.
Sehen wir nun auf die zwei Quellen, aus denen der Traditionsstrom des geweihten Wassers im Christentum gespeist wird. In alten Kulturen, zum Beispiel in der Antike, war das Wasser ähnlich wie auch Feuer und Licht ein Symbol zu religiös verstandener Reinigung und Entsühnung und fand als solches seit dem 4. Jahrhundert z.B. bei der Umwandlung eines antiken Tempels in ein christliches Gotteshaus Verwendung, nachdem es zuvor für diesen Zweck eigens geweiht wurde.[5] Etwa seit dem 8. Jahrhundert entwickelte sich in der Kirche die regelmäßige sonntägliche Wasserweihe. Und anschließend wurden die Gläubigen mit dem geweihten Wasser besprengt. Neben den Aspekt der Reinigung und der Abwehr dämonischer Kräfte trat zunehmend das Motiv der Tauferneuerung.
Ganz deutlich wird das im Ritus der Tauferneuerung in der Osternacht, wo die Gläubigen – ihre brennenden Osterkerzen in der Hand – mit geweihtem Osterwasser besprengt werden. So erneuere und bekräftige ich also meine Taufe, wenn

ich mich am Eingang der Kirche mit Weihwasser bekreuze.
Im katholischen Milieu kann man wohl einmal hören, daß da jemand, etwa eine Mutter ihrem Kind, beim Kircheneingang sagt: „Segne dich". Kann man denn sich selbst segnen? Nimmt man nur das deutsche Wort dafür her, bleibt es mißverständlich, nicht so jedoch, wenn man die o.g. Bedeutung von „se signare" mithört. Man kann sich bezeichnen, sich bekreuzen, den Segen, den Gott schenkt, an sich heranlassen „ja" dazu sagen. In einer tiefen Weise geschieht das jedesmal dann, wenn ich meine Taufe annehme und mit allen Fasern zu leben versuche.
Nun sind die Elemente der Natur an sich weder gut noch böse. Alle Elemente und alle unsere Kräfte sind grundsätzlich ambivalent. Auch das Wasser. Deswegen wurde ja das Wasser eigens geweiht, weil man in ihm neben den lebenserweckenden und -erhaltenden auch zerstörerische, chaotische Kräfte erfuhr.
Wir wissen, Wasser ist das Urelement allen Lebens, das Leben kam aus dem Wasser, den Menschen in der Wüste war das immer eindringlich bewußt. Als die Einheit des Lebens zerbrach, – im biblischen Bild des Garten Eden, in dem der Mensch sündigte – ging die Erfahrung des großen Zusammenhangs dem Bewußtsein verloren. So führt der Weg des Lebens durch eine von Schuld und Sünde gezeichnete Welt.
Jesus hat dieses Urelement des Lebens, Sinnbild für alle Schöpfung, geheiligt, als er in die Wasser des Jordan stieg und von Johannes getauft wurde. In zahllosen Ikonen haben Menschen der Ostkirche dieses Erlösungsgeheimnis gemalt und verehrt, und viele haben aus der Wahrheit leben können, daß Jesus so weit hinabstieg in alles Unsrige, bis an den Ursprung der Schöpfung. Ent-

sprechend kennt die Ostkirche die Wasserweihe in der Epiphanienacht. (Neben unserem – späteren – Weihnachtsfest feiern die Ostkirchen das Fest der Erscheinung des Herrn und in diesem Fest drei Ereignisse: die Anbetung der Magier, die Taufe im Jordan, die Verwandlung von Wasser in Wein bei der Hochzeit zu Kana). Bei dieser Wasserweihe wird zur Darstellung der Taufe Jesu ein Kreuz ins Wasser getaucht, und an manchen Orten steigen die Gläubigen in Erinnerung an ihre Taufe selbst in den Fluß, das Wasser.
Ähnliches wird im katholischen Ritus durch das dreimalige Eintauchen der Osterkerze bei der Taufwasserweihe in der Osternacht ausgedrückt. Dahinter steht neben anderem das Gespür für die Ambivalenz der Dinge, vor der man die Augen nicht verschließen darf und braucht.
Aus dem neuen Benediktionale seien hier die beiden möglichen Gebete bei der Segnung des Weihwassers angeführt:

Herr, allmächtiger Gott, alles hat seinen Ursprung in dir. Segne dieses Wasser, das über uns ausgesprengt wird als Zeichen des Lebens und der Reinigung. Voll Vertrauen erbitten wir von dir die Vergebung unserer Sünden, damit wir mit reinem Herzen zu dir kommen. Wenn Krankheit und Gefahren und die Anfechtungen des Bösen uns bedrohen, dann laß uns deinen Schutz erfahren. Gib, daß die Wasser des Lebens allzeit für uns fließen und uns Rettung bringen. Darum bitten wir durch Christus unsern Herrn. Amen.
Herr, allmächtiger Vater, höre auf das Gebet deines Volkes, das deiner großen Taten gedenkt: Wunderbar hast du uns erschaffen und noch wunderbarer erlöst. Du hast das Wasser geschaffen, damit es das dürre Land fruchtbar mache und unseren Leib reinige und erquicke. Du hast es in den Dienst deines Erbarmens gestellt: Durch das Rote Meer hast du dein Volk aus der Knechtschaft Ägyptens befreit und in der Wüste mit Wasser aus dem Felsen seinen Durst gestillt. Im Bild des lebendigen Wassers verkündeten die Prophe-

ten einen neuen Bund, den du mit den Menschen schließen wolltest. Durch Jesus Christus hast du im Jordan die Wasser geheiligt, damit durch das Wasser der Wiedergeburt sündige Menschen neu geschaffen werden. Segne, Herr, dieses Wasser, damit es uns ein Zeichen sei für die Taufe, die wir empfangen haben. Darum bitten wir durch Christus unsern Herrn. Amen.

Vielleicht kommen bei diesen Ausführungen zum fraglos unmodernen Thema Weihwasser manchem doch einige Fragen, etwa derart: Ist solch ein Brauch angesichts unserer ohne Zweifel kompliziert gewordenen Welt und unserer Welterfahrung heute nicht überholt? Ist darin unser Leben noch enthalten? Geht uns das noch etwas an?

Aus rein intellektueller Einsicht allein lassen sich solche Gesten nicht tun und schon gar nicht neu erleben. Und manch einem stehen Hindernisse entgegen, die ihm den Zugang zu diesem oder jenem Symbol erschweren oder sogar verunmöglichen. Vielleicht wird man auch in einem einzelnen Leben nie alles wirklich entdecken, was sich zu entdecken lohnte. Daß dies gar nicht nur ein neuzeitliches Problem ist, zeigt die alttestamentliche Geschichte vom syrischen Heerführer Naaman, der plötzlich vom Aussatz befallen wurde (2 Könige 5). Auf den Hinweis einer jüdischen Sklavin macht er sich auf, versehen mit einem Empfehlungsschreiben seines Königs und Wagenladungen von Geschenken, und kommt nach Samaria zum dortigen König und schließlich zum Propheten Elischa voll Erwartung, daß der ihn heile im Namen seines Gottes.

Elischa schickt einen Boten an die Haustür zu Naaman mit der Anweisung siebenmal im Jordan zu baden, um so wieder gesund zu werden. Naaman will zornig davongehen, er hatte sich die Heilung ganz anders vorgestellt, er sagt:

„Ich hatte mir gedacht, der Prophet käme selbst heraus, stellte sich vor mich hin, rief den Namen Jahwes, seines Gottes an, würde seine Hand auf der kranken Stelle bewegen und nähme so den Aussatz fort. Sind denn nicht die Flüsse von Damaskus besser als alle Wasser Israels? Kann ich nicht in ihnen baden um rein zu werden?
Dann machte er kehrt und ging zornig davon. Da traten seine Diener herzu und redeten auf ihn ein: „Mein Vater! Wenn der Prophet etwas Schweres von dir gefordert hätte, würdest du es nicht sicherlich tun? Um wieviel mehr, da er dir sagte: Bade, und du wirst rein."

Auf dieses Zureden hin zieht Naaman hinunter zum Jordan, badet darin, wie es der Prophet ihm auftrug, und wird vom Aussatz befreit. Den Gott Israels preisend kehrt er zu Elischa zurück und will ihn reich entlohnen. Aber der nimmt seine Geschenke nicht an, denn Dank und Lobpreis für die Heilung kommen allein Gott zu. Da zieht Naaman in Frieden seinen Weg.
Das Leben war für Naaman, seinen König, den König Israels und den Diener des Propheten, um nur einige zu nennen, durchaus sehr kompliziert und vielfältig. Und von sich aus kamen sie gar nicht auf den Gedanken, Heilung in anderen Lebensmustern als den ihnen geläufigen zu suchen. Dahinter steht auch die Annahme: wenn schon die Krankheit so vielschichtig ist, wie vielschichtig und mühsam muß dann erst die Heilung sein. Naaman wäre zu vielem bereit gewesen und hätte sich seine Heilung manches kosten lassen. Aber die Heilung lag ganz woanders. Es gibt eine Einfachheit, die nicht vor, sondern hinter der Verworrenheit der Welt und unseres Herzens liegt. Die Magd, der Prophet und der Diener Naamans sind Menschen, die davon zeugen. Es ist nicht immer einfach einfach zu werden, viel Wind steht dagegen. Und auch der Syrer Naaman konnte den Weg nicht alleine gehen bis an den Ort, wo er

siebenmal im Jordan untertauchte und heil wurde. Das ist ein Vorausbild.
Der Weg zur Heilung geht heute in keine andere Richtung. Diese Richtung ist entscheidend, Gesten und Zeichen können meiner Erfahrung nach dabei helfen.

Segnen durch Handauflegung

Sehen wir auf eine weitere sehr alte Segensgeste, die Handauflegung, und ihre Bedeutung im biblisch-kirchlichen Bereich. Da wird in anthropomorpher Weise von „Gottes Hand“ gesprochen, wenn Bibel und Kult das „Handeln“ Gottes darstellen wollen. Mit seiner Hand rettet, schützt, straft und führt er. Darin drückt sich eine ganz urtümliche Erfahrung aus, die wohl zu unserem archaischen Erbteil gehören mag: in der Geste der Handauflegung wird Kraft übermittelt von einem zum andern, wie diese Kraft auch immer im einzelnen verstanden sein mag. Genauer sollte man sagen, durch die Hände eines Menschen wird einem andern Kraft übermittelt, je nach der Durchlässigkeit des Segnenden. Die Geste ohne diese Durchlässigkeit bleibt tot.
Ein jeder kennt das, mindestens in rudimentärer Form, aus seinem eigenen Leben. Wie gut kann beispielsweise in Leid und Trostlosigkeit die Hand eines Menschen tun, die sich auf meine Schulter legt, wieviel Kraft und Mut kann in solchen selbstlosen Gesten zu mir herüberkommen. Darin ist noch ganz spontan diese urtümliche Erfahrung lebendig.
Schauen wir uns nach Beispielen zu diesem Thema zuerst im Alten Testament um. Der Prophet Ezechiel erfährt das Wirken Gottes im Bild der Hand. So heißt es zu Beginn des Buches Eze-

chiel: „Dort kam über mich die Hand des Herrn" (Ez 1,3). In den noch älteren kultischen Anweisungen zur Entsündigung des Heiligtums heißt es: Aaron solle seine beiden Hände auf den Kopf des lebenden (Sünden-)Bockes legen, bevor dieser in die Wüste fortgejagt wird, und so die Schuld Israels auf ihn übertragen (Lev 16,21 ff). Auch die geistige Führerschaft wird von Mose auf Josua durch Handauflegung weitergegeben. „Josua aber, der Sohn Nuns, war erfüllt vom Geist der Wahrheit, da ihm Mose seine Hände aufgelegt hatte, und die Israeliten gehorchten ihm und taten, wie Jahwe Mose geboten hatte" (Dtn 34,9).

Im Neuen Testament begegnet uns die Geste der Handauflegung außerdem als Geste des Heilens. Aber auch in dieser Hinsicht ist die Geste schon viel älter, man erinnere sich z.B. nur daran, auf welche Weise der Syrer Naaman die Heilung durch den Propheten Elischa erwartet hatte.

Es heißt es im Lukasevangelium: „Als die Sonne unterging, brachten die Leute ihre Kranken, die alle möglichen Leiden hatten, zu Jesus. Er legte jedem Kranken die Hände auf und heilte alle" (Lk 4,40). In den beiden synoptischen Parallelstellen ist die Handauflegung nicht erwähnt (Mt 8,16; Mk 1,32–34). Es fällt auf, daß direkt von Heilungen durch Handauflegung vornehmlich bei Lukas die Rede ist (Lk 4,40; 13,13). Ebenfalls taucht diese Formulierung im Anhang zum Markusevangelium auf (Mk 16,18). Auch von Paulus weiß die Apostelgeschichte von Heilungen im Zeichen der Handauflegung zu berichten, so daß er nach dem Schiffbruch vor Malta dort den Vater des Publius durch Handauflegung heilte (Apg 28,8). Der große Zusammenhang von Heilen und Geisterfülltheit wird ganz klar an Paulus selbst, wie er nach seiner Christuserfahrung vor Damaskus erblindet im Haus des Judas an der Geraden Straße in Damaskus saß und Hananias auf Geheiß des Herrn zu ihm ging, ihm die Hände auflegte und sagte: „Bruder Saul, der Herr hat mich gesandt, Jesus, der dir auf dem Weg hierher erschienen ist, du sollst wieder sehen und mit dem Heiligen Geist erfüllt werden" (Apg 9,17 b).

In jedem Fall handelt es sich bei der Handauflegung mindestens bereits um eine urkirchliche Praxis.

An dieser Stelle kann es aufschlußreich sein, einmal über die Heilungen durch Jesus nachzudenken. Auf den ersten Blick lassen sich leicht drei Weisen unterscheiden. Es gibt die Heilung durch ein Wort (Mt 9,6; 10,52; Mk 7,29; Lk 6,10; 18,41 ff; Joh 4,50; 5,8); die Heilung durch Berühren, Jesus berührt dann die konkrete Krankheit eines Menschen, er rührt an die Wunden, ans Leid (Mt 8,15; 9,25; Mk 7,33; 8,22; Lk 5,13); und die Heilung durch Berührtwerden (Mt 9,21 f; Mk 3,10). Dabei setzt die Heilung eines Menschen jeweils den Glauben voraus, ja sie geschieht nach dem Maß des Glaubens. Existentiell bedeutet das, die Kraft der Heilung, die ein dafür durchlässiger Mensch vermitteln kann, kommt nur dort und in dem Maß an, wo der andere dafür offen ist. Dann geschieht beim Auflegen der Hände in verdichteter Weise Kommunikation.

Dies ist dann der alte Segensgestus schlechthin. Erinnert sei hier nur an die Segnung der Kinder. Matthäus schreibt in seinem Evangelium: „Da brachte man Kinder zu ihm, damit er ihnen die Hände auflegte und für sie betete. Die Jünger aber wiesen die Leute schroff ab. Doch Jesus sagte: Laßt die Kinder zu mir kommen, hindert sie nicht daran! Denn Menschen wie ihnen gehört das Himmelreich. Dann legte er ihnen die Hände auf und zog weiter" (Mt 19,13–15).

Deutlicher und zärtlicher noch heißt es beim Evangelisten Markus: „Und er nahm die Kinder in seine Arme, dann legte er ihnen die Hände auf und segnete sie“ (Mk 10,16).
In unseren kirchlichen Gewohnheiten ist diese Segensgeste nicht mehr alltäglich gebräuchlich. Es gibt sie zum Beispiel noch beim Krankensegen oder beim Primizsegen des Neupriesters nach der Priesterweihe. In etwas veränderter Form kommt sie beim Segnen einer Gruppe von Menschen vor, wenn der Priester beim feierlichen dreigliedrigen Schlußsegen der Messe die Arme und Hände über die Gemeinde ausbreitet. Aber wer noch nie die segnenden Hände auf seinem Kopf spürte, wird normalerweise diese verkürzte Geste, die im tatsächlichen Wortsinn da nicht heranreicht, nicht so deutlich wahrnehmen können.
Neben Heilen und Segnen ist die Handauflegung besonders ein Ausdruck der Geistmitteilung, sakramental üblich bei Firmung, Weihe und Krankensalbung und u.U. auch beim Bußsakrament. In dieser Form sieht es das „Rituale Romanum“ von 1974 vor.[6]
Vor allem bei Firmung und Weihe zeigt sich, wenn auch je verschieden, hier wird einerseits der Geist übermittelt, andererseits jemand ganz konkret in Dienst genommen. Jeder Christ wird durch die Firmung, die in engem Zusammenhang mit der Taufe als Initiationsritus zu sehen ist, kraft des Geistes Christi zum vollberechtigten und zur Mitarbeit verpflichteten, mündigen Glied der Kirche. In der Weihe zum Diakon, Priester oder Bischof wird der Mensch mit der heiligenden Kraft des Geistes Christi erfüllt – der selbst im sakramentalen Dienstamt des Menschen wirken will – und für die Leitung der Gemeinde, der Kirche in Dienst genommen. Dieses

Ineinander von Geistmitteilung und Indienstnahme, Beauftragung, war nach dem Zeugnis der Apostelgeschichte bereits in der Urkirche das Gegebene. Man denke an die Wahl der sieben Diakone. Nachdem die sieben Männer in den Dienst des Diakons gewählt worden waren, heißt es: „Sie ließen sie vor die Apostel hintreten, und diese beteten und legten ihnen die Hände auf" (Apg 6,6). Ebenfalls geschieht es bei der Aussendung von Barnabas und Paulus so vor deren erster Missionsreise: „Als sie zu Ehren des Herrn Gottesdienst feierten und fasteten, sprach der Heilige Geist: Wählt mir Barnabas und Saulus zu dem Werk aus, zu dem ich sie mir berufen habe. Da fasteten und beteten sie, legten ihnen die Hände auf und ließen sie ziehen" (Apg. 13,2 f). Den Geist empfängt einer immer für die anderen, für den Dienst, für den Aufbau des Leibes Christi, für die Gemeinschaft. Das Geschenk des Heiligen Geistes, das eben oft in der Geste der Handauflegung weitergeschenkt wird, macht Männer und Frauen erst im Vollsinn zu Christen (Apg 8, 14–25). Eine neue Sensibilität für diese Gesten der Handauflegung und für das Gebet über jemanden ist vielen Menschen und Gemeinden aus der Charismatischen Gemeindeerneuerung zugewachsen. Die Geste verkümmert, die Kirche verarmt, wenn wir unsere leibhaftige Religiosität nur noch den ausgewählten Kultdienern im Rahmen der liturgischen Feiern überlassen. Dabei wäre es ein Leichtes, diese menschlichen Gesten und ihre alltäglichen Ansatzpunkte und Variationen neu aufzuspüren – sie sind ja da – und diese Spur ein wenig weiterzuverfolgen.

Mütterlicher und väterlicher Segen

Wir sahen, wer segnet, ist durchlässig für die Gotteskraft. Diese lebendige Gotteskraft ist eine, aber in der menschlichen Durchlässigkeit fließt sie durch ein je konkretes einmaliges Leben, das Echo gibt, das den Resonanzboden ausmacht. Darin liegt viel und große Verschiedenheit. Mir scheint die für das Leben grundlegend prägende ist die von Männlichkeit und Weiblichkeit, Väterlichkeit und Mütterlichkeit. Gibt es nun spezifisch väterliche und mütterliche Gesten? Es kann hier nicht um einen entwicklungsgeschichtlichen vollen Überblick gehen, das würde den gesteckten Rahmen sprengen, oder sogar um eine Analyse solcher möglichen Gesten. Eher liegt mir daran, sie aus der Alltagsvergessenheit herauszuholen, sie neu zu entdecken und zu befragen. Das wird gewiß und notwendig subjektiv sein, kann aber vielleicht zum Widerspruch oder zum eigenen Suchen provozieren oder die Sehnsucht nach so etwas wecken.
Mir scheint der eher brüderliche und väterliche Segensgestus die Auflegung der Hände zu sein. Das rührt womöglich daher, daß er, als Einzelsegen gespendet, im kirchlichen Milieu, gerade auch im sakramentalen Raum, noch immer vollzogen wird, wahrscheinlich fast nur noch dort. Es scheint mir zu fragen wert, ob es den väterlichen Segen nur noch im klerikalen Raum gibt, ob er anderswo überhaupt noch getan wird. Ich erlebe diese Form des Segens jedenfalls sehr stark als brüderlich, bzw. väterlich. Das mag auch daher rühren, daß die katholische Kirche in ihren Amtsträgern eine männliche Kirche ist.
Als mütterliche und schwesterliche Form des Segens kenne ich vor allem das Kreuzzeichen auf der Stirn, das mir sehr lieb geworden ist. Dabei

ist dies ursprünglich gar keine mütterliche Geste, aber sie ist am ehesten bei den Müttern lebendig geblieben. Vielleicht rührt das, was mir heute als mütterliche Geste erscheint, noch an etwas anderes. Zwischen Mutter und Kind war und ist im allgemeinen eine besondere Zuordnung und Vertrautheit. Vielleicht muß man in dieser Geste auch dies mit verstehen, daß sie nur in einer Atmosphäre des Einander-Vertrautseins so hautnah lebendig bleibt.

Bei der Kindtaufe sind es die Eltern und auch die Paten, die noch an der Schwelle zur Taufe, unmittelbar nach dem Priester oder Diakon, der die Taufe vollzieht, dem Kind das kleine Kreuz auf die Stirn zeichnen. Das Zeichen auf der Stirn ist ein Siegel, ein Besitzzeichen. Sklaven trugen das Zeichen ihres Herrn auf der Stirn oder am Handgelenk eingebrannt.

Auch wir gehören als Getaufte zu Gott, gehören dem Herrn Jesus Christus, auf den wir getauft sind, durch den wir befreit worden sind aus der Finsternis und Verlorenheit. Ganz anders als Sklaven oder Knechte das tun, gehören wir zu ihm.

So besiegelt bisweilen die Mutter am Morgen oder Abend mit dem Kreuzchen auf der Stirn ihr Kind. Sie will damit ausdrücken, wie sehr sie es dem Schutz Gottes anvertraut, auf den es getauft ist, dem es gehört, der es überall trägt und umgibt. In dieser mütterlichen Gebärde ist uns eine Geste überkommen, die so bereits im 3. Jahrhundert bezeugt ist.

Noch einmal, es geht nicht darum, väterlichen und mütterlichen Segen gegeneinander abzugrenzen. Alles andere als das! Trägt doch auch jeder Mensch Weibliches und Männliches in sich, aber die Dominanten sind verschieden. Aus unserem Kloster kenne ich beide Segensformen und möchte keine missen, denn ich brauche den konkreten Segen, der mich in meiner Leibhaftigkeit ernstnimmt. Jedoch scheinen mir die Akzente in der Praxis in der genannten Weise gesetzt zu sein. Dem entsprechen auch die Erfahrungen mit Segensgottesdiensten, wie sie in der evangelischen Communität Casteller Ring auf dem Schwanberg gemacht werden, und von denen die Priorin in einem Referat „Eucharistie. Feier der Gemeinschaft und des Festes" anläßlich des 5. Internationalen /Interkonfessionellen Kongresses für Ordensleute 1985 in Trier folgendes weitergibt:

Unsere Segnungsgottesdienste sind entstanden aus dem Wissen um die heilende Kraft der Eucharistiefeier und vertieft durch die Erfahrungen des persönlich zugesprochenen Segens in Gottesdiensten mit charismatischen Gruppen. In vierzehntägigen Abständen besteht am Freitagmorgen in der Eucharistiefeier die Möglichkeit zu einer persönlichen Segnung. Die Schwester, der Gast kann wählen zwischen dem priesterlichen Segen des Pfarrers mit Handauflegung und Stola und dem mütterlichen Kreuzzeichen auf Stirn, Mund und Brust am Stuhl der Priorin. Bei diesen Segnungen geschieht – dem Geist sei es gedankt – Tröstung, Stärkung, Seelsorge und Weisung. Wir haben daneben auch die uns gemäße Form gefunden, einander Segensworte und Segenswünsche zuzusprechen, etwa bei der Aussendung von Schwestern in Stationen oder beim Beginn eines neuen Dienstes. Das sind Stunden starker, geistlicher Bewegung, die in unseren Herzen ruhen.[7]

III. BEISPIELHAFTE SEGNUNGEN

Sehen wir uns einige Segnungen als Beispiele an. Im neuen Benediktionale, das 1978 als Studienausgabe für die katholischen Bistümer des deutschen Sprachgebietes erschien, gibt es insgesamt 99 Formulare für Einzelsegnungen: Segnungen im Laufe des Kirchenjahres, Segnungen bei besonderen Anlässen, Segnungen religiöser Zeichen und solche im Leben der Familie und Öffentlichkeit. Diese sind als gemeinschaftliche Feiern gestaltet mit Gebeten, Lesungen aus der Heiligen Schrift, Liedern und Fürbitten. Aus Platzgründen werden wir uns hier auf die eigentlichen Segensgebete beschränken.

Segnung von Feuer und Licht

Ähnlich wie das Wasser ist auch das Feuer ein Urelement des Lebens, es erhellt und wärmt das Leben, es reinigt, verzehrt und verwandelt Materie und formt Energie um. Es kann gleichermaßen dem Leben dienen und es vernichten.
Die Lichtsymbolik ist weitgehend auf die Kerzen übergegangen, deren Licht den Weg zeigen und die Angst vertreiben kann, so wie es die Gemeinschaft fördert. Christus ist das eigentliche Licht der Welt. Diesen Aspekt spiegeln die Gebete des Segens über Kerzen und Adventskerzen.
Aber das Feuer ist auch mächtig und gewaltig. Wir sahen bereits beim Wasser, wie es in sich ambivalent und wertneutral ist. Feuer und Licht sind nicht in sich schon immer gut, sie können auch zerstören und in die Irre leiten. Darum werden sie bewußt gesegnet, geweiht, in den Dienst des Lebens genommen. So wird das Feuer der Osternacht gesegnet. Hinzu kommt man-

cherorts die Feuersegnung an bestimmten Heiligenfesten. Da hat sich fraglos christliches mit älterem germanischem Brauchtum zusammengetan.
Aber ebenso wie Feuer und Licht werden auch Feuerwehr und ihre Geräte gesegnet, weil sie das verheerende Feuer bekämpfen.

Segnung von Kerzen

Herr Jesus Christus, du bist das Licht der Welt, das Licht für alle Menschen.
Segne diese Kerzen, die wir zu deinem Lobpreis entzünden. Wie ihr Licht das Dunkel erhellt, so mache du unser Leben hell mit deiner Wahrheit. Schenke uns in den Bedrängnissen unseres Lebens Zuversicht und Freude und hilf uns, mit deinem Licht auch das Leben anderer Menschen hell zu machen, der du lebst und herrschst in alle Ewigkeit. Amen.

Segnung des Adventskranzes

Ewiger Gott, du läßt uns Menschen in unserem Suchen nach Leben und Freude nicht allein. Darum schauen wir am Beginn dieses Advent auf zu dir, von dem wir alles erhoffen.
Wir bitten dich, segne diesen Kranz und diese Kerzen. Sie sind ein Zeichen, daß du der Ewige bist, dem auch diese kommende Zeit gehört; ein Zeichen des Lebens, das wir von dir erwarten: ein Zeichen, daß du das Licht bist, das alle Finsternis erhellen kann. Hilf, daß wir mehr lieben und dich mit neuem Eifer suchen. Darum bitten wir durch Christus unsern Herrn. Amen.

Feuersegnung

Heiliger Gott, in der leuchtenden Feuersäule bist du dem Volk des Alten Bundes auf seinem Weg in die Freiheit vorausgezogen; in Feuerzungen hast du über das Volk des Neuen Bundes den Heiligen Geist gesandt.
Segne diese Feuer, das wir am Festtage des heiligen N.N. entzündet haben. Entzünde in unseren Herzen

das Feuer deiner Liebe, damit wir in einer Welt voll Haß und Zwietracht von dir Zeugnis geben. Dir sei Ehre und Lobpreis in alle Ewigkeit. Amen.

Segnung von Speise und Trank

Zu den geläufigsten Formen des Segnens gehört der Segen über Speise und Trank im Tischgebet. Speise und Trank als Früchte der Erde und des menschlichen Wirkens, wie auch die menschliche Gemeinschaft sind darin in ihrer Gottbezogenheit erkennbar. Nicht als ob das Gebet des Menschen Speise und Trank heiligen würde. Sie sind schon durch ihre Teilhabe an der im Grunde guten Schöpfung heilig. Aber diese ursprüngliche Gottbezogenheit von Speise und Trank wird im Gebet über sie bewußt verdeutlicht, gewollt, bejaht und angenommen. So werden sie dann dem Menschen zur Kraftquelle und zum Heil. Ohne diesen Bezug bleibt Speise nur Futter. Jedoch muß sich das nicht immer in konventionellen Formen äußern. Konvention und Bezogenheit sind ganz und gar nicht deckungsgleich! Aber das Leben kann in beiden stecken, und gegenseitige Achtung und Ehrfurcht wären die ersten Schritte, das zu entdecken.
Dazu nun einige Beispiele[8]:

Herr, unser Gott, Schöpfer der Welt, dir danken wir für diese Speisen, die Frucht der Erde und der menschlichen Arbeit. Wir bitten dich um deinen Segen.

Herr, wir freuen uns an deinen Gaben, die aus deiner Schöpfung bereitet sind. Laß uns vor dem gedeckten Tisch die nicht vergessen, die Hunger leiden. Und uns gibt Hunger und Durst nach einem Leben in Gerechtigkeit und Liebe.

Herr Jesus Christus, schenke uns jedesmal, wenn wir zum Essen zusammenkommen, etwas von jenem Geist, den du der Gemeinschaft deiner Jünger geben wolltest, daß wir einander dienen und Gott die Ehre geben jetzt und in Ewigkeit.

Der Apostel Paulus schreibt: „Ob ihr eßt oder trinkt oder sonst etwas tut, alles tut zur Verherrlichung Gottes." So bitten wir dich, lebendiger Gott. Gib uns mit deinem Segen über diese Gaben den Geist deines Sohnes Jesus Christus.

Neben der alltäglichen Segnung der Speise in der Tischgemeinschaft gibt es noch andere mögliche Segnungen wie die Speisesegnung an Ostern, die Segnung des Johannisweines am 27. Dezember, die Kräutersegnung am Fest der Aufnahme Mariens in den Himmel, am 15. August, und die Brotsegnung an bestimmten Heiligenfesten, z.B. dem Fest der hl. Agatha. Viel Brauchtum kommt da zusammen. Oft scheint es auf den ersten Blick verwunderlich, aber bei längerem Hinsehen zeigt sich viel gewachsene Schönheit und lebendige Symbolik, wenn das gesegnete Brot in der Tischgemeinschaft geteilt, der Wein getrunken wird, und die Kräuter aufbewahrt werden zur heilenden Verwendung.

Segnung von Lebensräumen

Das schon mehrmals zitierte Benediktionale bietet einige Vorschläge zur Segnung von Häusern, Wohnungen, Arbeitsstätten und öffentlichen Gebäuden. Wieder geht es um die Bezogenheit. Hinzu kommt noch Jesu Wort an die Jünger: „Wenn ihr in ein Haus kommt, so sagt als erstes: Frieden diesem Haus" (Lk 10,5).
Um diesen Frieden beten auch die Klosterge-

meinschaften, wenn einmal im Jahr nach einem alten Brauch das Kloster und seine Räume vom Oberen gesegnet werden. Aus dieser reichen Vielfalt nur wenige Kostproben:

Pforte

Barmherziger Gott, segne alle, die durch diese Pforte ein- und ausgehen. Laß sie in diesem Haus deine Nähe erfahren und den Weg des Lebens nicht verfehlen. Darum bitten wir durch Christus unsern Herrn. Amen.

Sprechzimmer

Herr, unser Gott, wir bitten dich um deinen Segen für diese Räume. Laß unsere Gäste hier Frieden und Trost erfahren und laß sie gestärkt in ihren Alltag zurückkehren; uns aber gib die Kraft, sie wie Christus aufzunehmen, der mit dir lebt und herrscht in alle Ewigkeit. Amen.

Werkstätten

Gott, du hast deine Schöpfung den Menschen anvertraut. Schenke allen, die hier arbeiten, Gesundheit und Schaffensfreude. Laß uns gute Mitarbeiter sein an der Vollendung deines Werkes.
Darum bitten wir durch Christus unsern Herrn. Amen.

Segnung von Menschen

Nicht nur die Dinge und Elemente entfalten ihre positiven Kräfte im Raum des Segens. Auch der Mensch und sein Tun bedürfen dieses gesegneten Zusammenhanges sehr. So werden verschiedene Stationen im Leben des Menschen ganz bewußt dem Segen Gottes anvertraut, wie beispielsweise eine Mutter vor und nach der Geburt, Kinder vorm Schulanfang, Jugendliche zu Beginn eines

neuen Lebensabschnittes, einer Ausbildung oder Partnerschaft in der Verlobung, kranke Menschen, alte Menschen, Sterbende. Ganz bewußt vertraut sich der Mensch an diesen konkreten Punkten seines Lebensweges Gott an, stellt sich in Gottes größeren Zusammenhang hinein und öffnet sich den positiven Lebenskräften.
Wenn Eltern ihre Kinder beim Weggang von Zuhause, zu Beginn von Berufsleben oder Studium, aber auch wenn Freunde einander segnen wollen, kann die folgende Weise eine Anregung dazu sein:

Herr, unser Gott, Vater unseres Herrn Jesus Christus, N. steht am Beginn eines neuen Wegstückes . . . und ist voll Erwartung. Sie/Er weiß auch, daß sie/er in allem auf deinen Beistand angewiesen ist. Laß sie/ihn den rechten Weg finden. Bewahre sie/ihn vor dem Bösen. Stärke sie/ihn durch deinen Heiligen Geist. Erhalte sie/ihn in deiner Liebe und unserer Gemeinschaft und der Gemeinschaft deiner Kirche.
(Die Segnenden bezeichnen ihre/seine Stirn mit einem Kreuz). Es schütze und führe dich der barmherzige Gott, der Vater und der Sohn und der Heilige Geist.

Es gibt auch eine Segnung für Pilger, eine andere eigens für Urlauber. In unserer Klostergemeinschaft beten wir jedesmal, wenn eine Schwester verreist, den Reisesegen. Dazu kniet sich diese Schwester am Ende der letzten gemeinsamen Gebetszeit vor der Reise in die Mitte, die andern stehen und wenden sich ihr zu, und die Priorin betet den Segen.
Im Leben der meisten Menschen kommen viele dieser Gebete und Segensworte nicht vor. Und mancheiner mag in scheinbar zeitgemäßem und gesundem Realismus sagen, das sind zu viele Worte gemacht. Anderen sind diese Gebete zu konkret und stecken zu sehr voll von Bitten und Wünschen an Gott. Zweifellos setzt auch das

schweigende Beten viel Kraft und Segen frei. Ja, das Schweigen ist in manchen Bereichen des Lebens die einzig mögliche Sprache. Aber fliehen wir auch nicht in unserem Beten das Konkrete, in unseren Herzen sind wir gar nicht so scheu, zu wünschen und zu bitten. Und je mehr Gott der Gott unseres ganzen Lebens wird, umso eher findet auch das Bitten füreinander seinen rechten Ausdruck. Ebenso wollen auch unser schweigendes und in Worten geformtes Beten einander ergänzen und stärken. Wir sind Menschen, zu denen beides gehört.

IV. EXEMPLARISCHE MENSCHEN

Was mich an einem Orchester immer wieder neu fasziniert, ist die Verschiedenheit. Selbst wenn alle den gleichen Ton spielten, wären es noch ganz verschiedene Klänge, denn jedes Instrument hat seinen je eigenen Klang. Zum Beispiel die Streichinstrumente Geige, Bratsche, Cello und Kontrabaß. Mag es der gleiche Ton sein, der da gestrichen wird, wie anders klingt seine Farbe jedesmal. Das liegt an den Resonanzböden.
Ähnlich geschieht es uns Menschen, wenn Gottes Gnade und Segen uns berühren. Es ist die eine Gotteskraft und doch gleicht kein Menschenleben genau dem andern. Wenn wir im Folgenden exemplarische Menschen in ihrer Beziehung zum Segen und Segnen ansehen, will das beachtet sein. Gott kennt keine Schablonen. Und doch sind diese Menschen in ihrer Art schon irgendwie typisch und auch herausragende Beispiele. Sie zeigen uns, wie wir dem Segen Gottes in unserem eigenen Leben vielleicht begegnen und folgen könnten. Der Klang wird dann auch in unserem Leben freilich ganz einzig sein.

Abraham – Du sollst ein Segen sein

Im dritten Viertel des 6. Jahrhunderts wurde in Kleinasien als Illustration zum Buch Genesis ein Bild des Stammvaters Abraham gemalt, das sich heute in der österreichischen Nationalbibliothek in Wien befindet und zu einem Bilderzyklus gehört, der als „Wiener Genesis“ weltberühmt wurde. Auf purpurfarbenem Grund – Zeichen für die Welt und den Raum der Bewährung in ihr – steht Abraham, schon ein alter Mann, eine

noch weitgeöffnete Tür im Rücken, durch die er eben erst hinaus ins Freie trat. Ganz still steht Abraham dort, mit wacher Aufmerksamkeit sieht und lauscht er zum Himmel hin. Über seine vorgestreckten, offenen Arme ist ein Tuch gebreitet, eine alte Geste der Dienstbereitschaft.
Die Bildaufteilung ist aufschlußreich. Abraham mit der Tür – und allem, was sie an Behausung und Geborgenheit bedeutet – im Rücken nehmen die linke Bildhälfte ein. Nach rechts hin bleibt alles offen, leerer, purpurner Hintergrund. An der unteren Bildgrenze läuft kaum konturiert ein schmaler Weg nach rechts davon, Abraham steht schon darauf. An der oberen Grenze jedoch ragt klar und deutlich der Himmel ins Bild, zu dem Abraham aufschaut, klarer, blauer Grund mit zahllosen Sternen. Und eine Hand, die Gotteshand, streckt sich da heraus und weist ihn wieder auf den Weg ins offene, noch leere Neuland.
Die biblische Textstelle, auf die sich dieses Bild bezieht, steht im ersten Buch der Bibel, Genesis 15,5, geschichtlich gesehen vor dreieinhalb bis viertausend Jahren im Vorderen Orient. Abraham hat mit seinen Leuten erfolgreich einen Kampf bestanden und erlebt kurz darauf diese Gotteserfahrung. Es heißt dort:

Das Wort des Herrn erging an Abram. Fürchte dich nicht Abram . . . dein Lohn wird sehr groß sein! Abram antwortete: Herr, mein Herr, was willst du mir schon geben! Ich gehe doch kinderlos dahin . . . du hast mir ja keine Nachkommen gegeben, also wird mich mein Haussklave beerben. Da erging das Wort des Herrn an ihn: Nicht er wird dich beerben, sondern dein leiblicher Sohn wird Erbe sein. Er führte ihn hinaus und sprach: Sieh doch zum Himmel hinauf und zähle die Sterne, wenn du sie zählen kannst! . . . So zahlreich werden deine Nachkommen sein.
Abram glaubte dem Herrn . . . (Gen 15, 1–6).

Schon längst ist Abraham zu dieser Zeit auf Gottes Wort hin aufgebrochen. Seine Berufung auf den Weg erzählt die Bibel so:

Zieh weg aus deinem Land, aus deiner Heimat und aus deinem Vaterhaus in das Land, das ich dir zeigen werde. Ich werde dich zu einem großen Volk machen, dich segnen und deinen Namen groß machen. Ein Segen sollst du sein. Gen 12,1 f

Gott segnet und schenkt seine Verheißung ohne Vorbedingung, aber von seiten des Menschen braucht es das freie, zustimmende Ja, das Mittun und Mitgehn. Abraham hat Gottes Verheißung geglaubt, hat sich von ihr auf den Weg bringen lassen, ist aufgebrochen. Aber das ging nicht leicht, nicht einfach, nicht immer nur gradlinig. Wenn in Gen 15, 1–6 Abraham Gott und seiner Lohnzusage entgegenhält – auch Empörung und Bitterkeit schwingen da mit – „Was willst du mir schon geben!", wenn Abraham so, nach einem immerhin schon langen Weg mit Gott, betet, dann wirkt diese innere Finsternis umso schwärzer und verzweifelter. Aber zum Glauben, auch zu dem vorbildlichen Glauben des Abraham, gehört auch der Zweifel des Abraham. Der Glaube ist ein Weg mit Höhen und Tiefen und unvorhersehbaren Wendungen. Wer weitergeht, kann Täler und Kurven nicht aussparen. Nicht nur Sara hat gelacht, als Gott ihr, der alten Frau, die Mutterschaft verheißt. Auch der alte Mann Abraham hat ungläubig gelacht – nachdem er lange schon um der Verheißung willen aufgebrochen war –, als Gott ihm wieder einmal die Verheißung reicher Nachkommenschaft erneuerte (Gen. 17,15 ff)! Er kennt die Anfechtung, ob nicht alles bloß leere Versprechen gewesen sind und letztlich der Weg umsonst gegangen wurde. Denn Segen, das bedeutet dem Abraham zuallererst Nachkom-

men zu haben. Jede Zeit hat da ihre besonderen Chiffren. Aber der schon alte Mann Abraham läßt sich in seinem ganzen Leben immer neu von Gott provozieren. Das Lachen über die vielleicht leere Verheißung gehört dazu, aber es geht noch weiter, das ist nicht das Letzte. Mit seiner ganzen Lebenskraft folgt Abraham immer wieder der Spur der Verheißung, die wirklicher ist als alles Übrige, er läßt sich darauf ein. Und so geschieht dies Seltsame, er selbst zeugt den verheißenen Sohn, als niemand mehr es für möglich hält, auf Gottes Wort hin. Wie weit kann der Weg des Menschen sein, bis der Segen Gottes – der freilich immer schon da ist – offenbar wird! Sich auf diesen Weg einzulassen, das ganze Leben mit all seinen Bereichen auf diesen Weg mitzunehmen und zuzulassen, nichts auszusparen, das bedeutet, selbst zum Segen werden.
Ein Segen für die andern wird man nur allmählich. Es braucht viel Geduld dazu und den Mut, sich je neu der Provokation Gottes zu stellen.

Jakob – ich lasse dich nicht, du segnest mich denn

So wie die Bibel ihn zeichnet, gehört der Patriarch Jakob für mich zu den vielfarbigsten Gestalten des Alten Testamentes. Er nützt die Schwäche seines Bruders Esau aus und handelt ihm für Brot und Linsenmus das Erstgeburtsrecht ab (Gen 25,27–34). Er erschleicht sich durch kluge List bei seinem erblindeten Vater Isaak den Erstgeburtssegen (Gen 27,1–40). Andererseits heißt es auch von ihm, daß er um Rahel, die er zur Frau nehmen wollte, sieben Jahre lang bei seinem Schwiegervater Laban Dienst tat. Und „weil er sie liebte, kamen sie ihm wie wenige

Tage vor“ (Gen 29,20). Auch Gott gegenüber ist er ein wacher und feinnerviger Mensch. Jakob hat viele Gesichter und Seiten.

Sehen wir zunächst, wie er sich den Erstgeburtssegen erschleicht. Rebekka, seine Mutter, hat mitangehört, wie Isaak seinen älteren Sohn Esau losschickt, ihm etwas zu jagen, eine Mahlzeit zu bereiten, damit er ihn dann segne, bevor er sterbe. Sie sagt es ihrem zweiten Sohn Jakob, der nun eine Ziege schlachtet als Mahl für den Vater, sich in seines Bruders Gewand kleidet und über die glatte Haut seiner Hände Ziegenfelle windet, um die behaarte Haut Esaus vorzutäuschen. Der Aufbau der Segenshandlung ist deutlich gegliedert. Es gehören dazu die Aufforderung durch den Vater (Gen 27,2–4) und die Bitte des Sohnes (Gen 27,26 f) und schließlich das Segenswort (Gen 27,21–29). Dort wird offensichtlich ein geformtes Ritual vollzogen.

Interessant ist auch, wer segnet. In diesen alttestamentlichen Vätergeschichten segnet der Vater mit aller Segensmacht. Dabei hat er einen ganz besonderen Segen für den erstgeborenen Sohn. Der Vater segnet als Haupt der Großfamilie. Es gab noch nicht den besonderen Kultmittler, die Mittlerfunktion übte der Vater aus. Ähnlich ist später der König als Repräsentant und Segensmittler für Erhalt und Wohlergehen des Volkes verantwortlich. Das sakrale Moment gehört, z.B. in der Weihe offenbar gemacht, seit den archaischen Zeiten bis in unsere Tage zum Königtum, heute freilich nur noch in Restbeständen. In seiner Grundstruktur ist das Königtum immer politisch und religiös.

Mit der Herausbildung einer priesterlichen Gruppe in einem Volk wachsen dieser auch vielfältige Weisen der Segensvermittlung zu.

Das gilt für die Religiösität aller Kulturen. Innerhalb dieser priesterlichen Gruppe entwickelt sich oft eine Hierarchie und, damit verbunden, auch eine Hierarchie der Segensmächtigkeit, so daß es im gottesdienstlichen Bereich z.B. im katholischen Raum immer dem je ranghöheren als dem je segensmächtigeren Menschen zukommt, den Segen zu spenden, dem Bischof vor dem Priester usw.

Doch gilt grundsätzlich, daß jeder Mensch in dem Maß, in dem er nur in seiner leibseelischen Ganzheit lebendig ist (denn es ist immer die Gotteskraft, die uns lebendig macht!), in seinem jeweiligen Bereich auch den Segen vermittelt.

Kehren wir zu Jakob zurück, der mit seinem erschlichenen Segen nicht recht froh wird und nicht in Frieden leben kann, sondern vielmehr den Aggressionen, die er geweckt hat, ausgesetzt ist. Er flieht vor seinem Bruder Esau nach Haran, gewinnt dort Lea und Rahel zu Frauen. Was er nur beginnt, es glückt ihm, der Segen wirkt deutlich sichtbar in seinem Leben. Auch seine Umgebung spürt es und hat Teil daran. Laban, sein Schwiegervater sagt: „Der Herr hat mich deinetwegen gesegnet" (Gen 30,28). Jakob wird reich, seine Familie wird groß, sein Besitz mehrt sich. Doch sein Weg endet nicht in Haran. Durch die Umstände treibt Gott ihn auf den Weg zurück nach Kanaan.

Stand am Beginn seines Fluchtweges nach Haran eine große nächtliche Gotteserfahrung mit der Bestätigung seines doch immerhin erschlichenen Segens durch Gott, so steht auch an der Schwelle der Heimkehr eine solche große nächtliche Gotteserfahrung für Jakob.

In derselben Nacht stand er auf, nahm seine beiden Frauen, seine beiden Mägde sowie seine elf Söhne und durchschritt die Furt des Jabbok. Er nahm seine Fami-

lie und ließ sie den Fluß überqueren. Dann schaffte er auch seinen Viehbestand herüber; er blieb allein zurück. Da rang mit ihm ein Mann, bis die Morgenröte aufstieg. Als der Mann sah, daß er ihm nicht beikommen konnte, schlug er ihn aufs Hüftgelenk. Jakobs Hüftgelenk renkte sich aus, als er mit ihm rang. Der Unbekannte sagte: Laß mich los, denn die Morgenröte ist aufgestiegen! Jakob aber entgegnete: Ich lasse dich nicht los, wenn du mich nicht segnest. Jener fragte: Wie ist dein Name? Jakob, antwortete er. Da sprach der Mann, nicht mehr Jakob wird man dich nennen, sondern Israel (Gottesstreiter), denn mit Gott und Menschen hast du gestritten und hast gewonnen. Nun fragte Jakob: Nenne mir doch deinen Namen! Jener entgegnete: Was fragst du mich nach meinem Namen? Dann segnete er ihn dort . . .
Jakob gab dem Ort den Namen Penuel (Gottesgesicht) . . . Die Sonne schien bereits auf ihn, als er durch Penuel zog, er hinkte an seiner Hüfte.
Gen 32, 23–32

Beurteilt man diesen Weg des Jakob, dieses entscheidende Stück seines Reifungsweges – der zweifellos vorher begann und lange danach noch weiterging – seine Flucht und Heimkehr vom Beginn und Ausgang her, sieht man: es ist ein Weg vom erschlichenen Segen zum erkämpften Segen, vom listenreich Gesegneten zum verwundeten Gesegneten.
Kann man denn das: um den Segen kämpfen? Bis zur Verwundung um den Segen kämpfen und Gott gegenüber siegen? Nicht loslassen, nicht nachlassen, bis man gesegnet wird?
Es gibt viele Weisen zu kämpfen. Von Jakob und seinem Gegenüber heißt es: sie rangen miteinander, genauer noch: ein Mann rang mit Jakob. Wir kennen dieses Bild vom Ringen sehr gut auch in seiner übertragenen Bedeutung. Der Kampf des Jakob ist ein Ringen um den Segen.
Die Verwundung erinnert ihn daran, bei jedem Schritt, den er nun hinkend weitergeht. Er ist von

da an der geschlagene Sieger, der verwundete Gesegnete.
Noch etwas ist dabei bemerkenswert, Jakob geht seinen Weg weiter, aber durch den Segen ändert sich auch die Perspektive des Lebens, was in dem neuen Namen „Israel“ zum Ausdruck kommt. Nomen est omen, sagten die Alten. Das ist damit gemeint.[9]
Wieviel innerer und äußerer Segen wird oft für weniger als ein Linsenmus erschlichen seit der Geschichte Jakobs damals. Vom Wesen des Segens her kann das nicht gut gehen, und es geht auch tatsächlich nicht gut, wir erleben das heute deutlich in seinen weltweiten Dimensionen. Wieviel geht dabei zugrunde und verkümmert! Wie groß ist die Schuld des Menschen am Menschen.
Aber wieviel wird auch in ungesehenen, einsamen Kämpfen vom Menschen um den Segen, wie immer man ihn im Einzelnen nennen mag, gerungen. Für diese alle will Jakobs Geschichte Ermutigung sein.

Maria – Du bist gesegnet unter den Frauen

Wie ein Ton klingt, das liegt am Resonanzboden des Instruments. Da gibt es zahllose Varianten, wie Gottes Segen im Menschen klingt. So sind Abraham und Jakob männliche „Resonanzböden“. Aber zum Menschlichen als Ganzem gehören Männliches und Weibliches, das in je verschiedener Dichte und Ausprägung in Mann und Frau zum Tragen kommt. Mann und Frau sind miteinander Bild und Gleichnis Gottes (Gen 1,27). Das bedeutet auch, daß wir Gottes Handeln an uns als väterliches und mütterliches, brü-

derliches und schwesterliches Tun erfahren und benennen können.
Im christlichen Raum ist Maria in verschiedenen Weisen und Formen zum großen Bild des Weiblichen geworden.

Dem Weiblichen ist die ganze Dimension von Zärtlichkeit und Feingefühl, Vitalität, Tiefe, Innerlichkeit, Gefühl, Rezeptivität, Schenkung, Achtsamkeit und Wärme zuzurechnen, die in der Existenz sowohl des Mannes als auch der Frau ihren Ausdruck sucht. Die angedeuteten Eigenschaften finden ihren letzten Grund in Gott selber . . .[10]

Gerade in ihren weiblichen und mütterlichen Zügen ist Maria den Menschen nahe, wird sie verehrt, gesucht und als Helferin und Trösterin angerufen. Vom „Ave Maria", in dem sich das vielfältige Licht der Marienfrömmigkeit bündelt wie in einer Linse, heißt es bei L. Boff: es „beinhaltet den ganzen Reichtum des Geheimnisses Gottes in Maria. Es ist wie eine Goldmine. Je mehr man gräbt, desto mehr Goldkörnchen kommen zutage".[11]
Aus zwei großen Teilen besteht dieses Gebet. Nur der erste wird uns hier näher beschäftigen. Zuerst ist da das Wort des Engels an Maria: „Gegrüßet seist du, Maria, du bist voll der Gnade, der Herr ist mit dir" (Lk 1,28). Es folgt der Lobpreis der Elisabeth: „Du bist gebenedeit unter den Frauen, und gebenedeit ist die Frucht deines Leibes" (Lk 1,42). Schon früh findet man diese beiden Texte verbunden vor, so im 6. Jahrhundert in einer syrischen Taufliturgie, im 7. Jahrhundert auf einer Tonscherbe aus Ägypten, oder auf einer griechischen Handschrift aus der Zeit um 650, heute verwahrt in der römischen Kirche Santa Maria Antiqua. Schon unter Gregor dem Großen (540–604) wurden diese beiden Texte in der Offertoriumantiphon des 4. Adventssonntag verbunden.[12]

Der zweite große Teil des Ave Maria, auf den hier nicht näher eingegangen werden kann, bildete sich ab dem 13./14. Jahrhundert heraus. Die heutige Form des Gebetes wurde 1568 in der Liturgiereform Pius V. festgelegt.
Zumeist wird das Gebet in der Form des Rosenkranzes gebetet, einem Kreis aus dreimal 50 „Ave Maria" mit nach je zehn „Ave" als Einschub das „Ehre sei dem Vater" und das „Vaterunser". Für den westlichen abendländischen Bereich war es wohl lange Zeit die ausgeprägteste und am weitesten verbreitete Form des mantrischen Betens, der steten rhythmischen Wiederholung eines Gebetswortes oder Klanges. In der östlichen und asiatischen Religiosität hat diese Gebetsweise eine große Bedeutung. Im christlichen Raum ist eine andere bekannte Form dieser Gebetsart das Jesusgebet der Ostkirche. Im steten rhythmischen Wiederholen des Wortes oder im immer wiederkehrenden gleichen Gebet schwingt der betende Mensch ein ins Geheimnis des lebendigen Gottes und lebt gewissermaßen in diesem Raum, so daß sein Leben aus diesem gestaltet und genährt wird in allem, was er unternimmt.
Sehen wir nun kurz auf die beiden ersten Sätze unseres Gebetes „Ave Maria". „Ave" heißt es im lateinischen Text, eine Grußformel, die im Griechischen mit „chaire" wiedergegeben wird (z.B. auch in der Bibelübersetzung des Hieronymus). Im griechischen Wort „chaire" steckt das Wort „cháris", Gnade, und ebenfalls auch das Wort „chará", Freude. Gnade und Freude gehören zueinander wie Ruf und Echo. In Maria ist Freude, weil sie „bei Gott Gnade gefunden hat" (Lk 1,30), ja in der einzigartigen Weise, daß sie durch den Heiligen Geist, überschattet von der Kraft des Höchsten, zur Mutter des Gottessohnes wird (Lk 1,35). Gnade und Segen sind einander eng

verwandte Wirklichkeiten. In der Begnadung Marias berühren sich Himmel und Erde wunderbar, in ihr verbinden sie sich in einmaliger Dichte, die Erde nimmt den Himmel auf, die Erde ist gesegnetes Land, durch das „Ja" des Menschen Maria.
Maria hat zu dieser Zeit nicht viel aufzuweisen nach menschlichen weisen Maßstäben, außer dieser großen Bereitschaft, diesem „Fiat", nicht viel an Lebenserfahrung aus dem bisherigen Leben, nur die Reife einer noch sehr jungen Frau aus Nazareth in Galiläa, und sie hat auch keine Ahnung von dem, was sich aus ihrem „Fiat" konkret alles ergibt. Das alles ist auch nicht entscheidend – wiewohl es wichtig werden kann – für das „ja" Marias nicht und auch nicht für unser „ja". Das alles kam nach und nach, und sie hat sich ganz darauf eingelassen. Doch wie gut, daß sie nicht gewartet hat mit ihrer Antwort in dem Augenblick, als Gott ihr begegnete.
Im zweiten Satz des Gebetes sprechen wir den Gruß Elisabeths, die, erfüllt vom Heiligen Geist, Maria mit diesen Worten begrüßt: „Du bist gebenedeit unter den Frauen, und gebenedeit ist die Frucht deines Leibes" (Lk 1,42). Im Wort „benedeien" begegnet uns eine alte deutsche Form für das „benedicere", in dem beide der weiter oben gezeigten Bedeutungen zum Tragen kommen. Maria ist gesegnet von Gott her, inniger – im ganz wörtlichen Sinn – als je ein Mensch. Sie ist Tempel des Heiligen Geistes und Mutter des Sohnes Gottes, diese beiden Wirklichkeiten, das Pneumatische und die Inkarnation, bestimmen ihr Leben beispielhaft.

Maria wurde mit dem Segen, mit der Gnade und Gunst des Heiligen Geistes übergossen. Deshalb ist sie gebenedeit unter allen Frauen. Die Anwesenheit des Heiligen Geistes in ihr macht sie zum Gegenstand des Lobpreises . . . Der Ausdruck „gebenedeit unter den Frauen“ ist ein Semitismus, der einem Superlativ entspricht: „Die Gebenedeiteste der Frauen“, „solchermaßen gebenedeit, daß der Segen sie zu einer besonderen unter den Frauen macht“.[13]

Maria nimmt den Gruß Elisabeths an, antwortet in eben demselben Heiligen Geist – in der Lauretanischen Litanei wird sie als „Vas spirituale“, „geistliches Gefäß“ oder „Kelch des Geistes“ angerufen – und singt ihr großes Lied, das Magnificat. Und doch ist zwischen der Verkündigung der Mutterschaft und dem Lobpreis der Elisabeth schon ein so weiter innerer und äußerer Weg gelegen. Der Engel war längst fort, und es heißt bei Lukas weiter: „Nach einigen Tagen machte Maria sich auf den Weg und eilte in eine Stadt im Bergland von Judäa“ zu Elisabeth und Zacharias (Lk 1,39). Wer „nur“ dies heilsgeschichtlich so bedeutsame Schwangersein dieser beiden Frauen sieht, übersieht leicht all das leiblich-seelische Bergland, das zwischen diesen beiden Sätzen der Gnade und des Segens zu durchwandern und zu durcheilen ist. Maria ging diesen Weg suchend und glaubend, denn zu glauben lernte sie dabei. Sie sang ihr Lied, aber doch nicht, weil es so ein leichter Weg gewesen wäre! Sie ging ihn als junge Frau, durch das damalige Galiläa und Judäa mit all seinen dazugehörigen Sitten, Normen und Grenzen. Sie trug das wachsende Gottesleben in sich, das sich, gewirkt durch den lebenschaffenden Gottesgeist, nie und nirgends von Konventionen bremsen ließ, auch wenn es darin lebte. Der Weg Mariens war nicht leicht. Aber sie hat sich der Gnade offen hingehalten und den Segen, den sie empfing – das ist unser Glück! – ausgetragen, mütterlich ausgetragen.

Benedikt – der Gesegnete

Abschließend noch wenigstens einen Blick auf den Mönchsvater Benedikt, der im 6. Jahrhundert in der italienischen Landschaft Umbrien lebte. Papst Gregor der Große (540–604) macht ihn zum Mittelpunkt seiner vier Bücher der Dialoge und widmet ihm das ganze zweite Buch. Benedikt selbst hinterließ als einzige Schrift seine Mönchsregel. Bei aller Komposition und Strukturierung ergänzt die Lebensbeschreibung Gregors das Bild Benedikts in tiefen und symbolträchtigen Szenen und Bildern.
Die Gestalt Benedikts kann und soll in diesem Rahmen hier nicht einmal skizzenhaft aufgezeigt werden, das ist andernorts vielfach geschehen. Ein einziges Wort nur aus den Dialogen soll uns in unserm Zusammenhang der exemplarischen Menschen zum Nach-Denken anregen.
Gregor beginnt den Prolog zum zweiten Buch der Dialoge mit folgendem Satz: „Es hat ein Mann gelebt, der ein heiliges Leben führte. Benedictus war er, das heißt, ein von Gott Gesegneter; und Benedictus war auch sein Name“.[14]
Das ist ein mutiger Satz! War Benedikt denn immer gesegnet? In allem? Die ganze Zeit? Oder war er schließlich zuletzt, vom Ende her gesehen, ein Gesegneter? Gregor sagt ganz einfach, „er war gesegnet“, er sagt nicht „manchmal“ oder „zuletzt“. Heißt das denn, daß alle nun folgenden Szenen des Buches dazugehören zu diesem Gesegnetsein? Anders formuliert, lag also der Segen im Weg, in den Widerfahrnissen? Was die Höhepunkte und lichten Stunden eines Lebens angeht, ist das für uns zumeist keine Frage. Aber Benedikt erlebte ja auch das Scheitern in all seiner Schmerzlichkeit, mehrmals sogar, sein Weg geht durch die Tiefe zur Höhe, fast könnte man sagen,

seine Höhe liegt in der Tiefe. Ich meine schon, daß Benedikt in all dem benedictus, gesegnet war.
Das über ein Leben zu sagen, kostet wirklich allerhand Mut. Aber Benedikt selbst weist in einem Kernstück seiner Mönchsregel, dem 7. Kapitel „De humilitate – Von der Demut" darauf hin.
Über 12 Stufen der Demut führt der Weg des Mönchs durch das irdische Leben hin zur Gottesliebe (RB 7,8–7,67). Auf diesen Reifungsweg macht man sich in seiner leiblich-seelischen Verfaßtheit mit all ihren Bereichen. Alles soll mit auf diesen Weg in die Erlösung, zur Gottesliebe, auf diesen Weg, auf dem Läuterung geschieht und Reifung und Verwandlung. Benedikt kennt verschiedene Stufen, Stationen auf diesem Weg. An einem Punkt, gewissermaßen der Talsohle, spricht er davon, daß der Mönch sich auf dieser Stufe bei allem, was er tut, für den geringsten und unmöglichsten Menschen hält. Er zitiert dazu aus Psalm 72,22–23: „Ich bin zunichte geworden und war ohne Verstand. Wie ein dummes Tier bin ich vor dir. Und doch bleibe ich stets bei dir" (RB 7,49 f).
Wenn man das ins Leben zurückübersetzt, anders werden ja solche Texte nicht fruchtbar, dann kennt das fast jeder. Die Frage ist aber, was man damit anfängt. Es ist der Punkt, wo man sich an den Kopf faßt oder einem die Luft ausgeht, wo man sich beinahe verzweifelt als „Esel" und „Rindvieh" betitelt, der Punkt, wo einem der Boden unter den Füßen schwindet: „ich Esel!" Fast alle Menschen, denen ich bis heute begegnet bin, deuten diese Erfahrungen sehr spontan zuerst als Erfahrungen, die nicht Weg auf Gott hin sind, sondern Irrweg, Gestrüpp, heilloses Dikkicht.
Benedikt aber sagt, wenn es dir so geht, dann ver-

zweifle nicht daran und nicht an dir, sondern lerne sehen, das gehört zum Weg, geschieht nicht abseits, sondern gerade da führt der Weg her, nicht nur, nicht immer, aber eben doch hindurch. Sich vorbeimogeln, das wäre der Irrweg. Wenn einer sagt „ich Esel", soll er's ruhig sagen, wenn es so ist, am besten ist's, wenn einer das beten kann, und wenn er dann auch sagt „und doch bin ich immer bei dir". Das ist dann schon ein Weg, genau die richtige Spur.

Der Segen kann in allem geschehen. Alles kann dem dienen, auch wenn es aus ganz anderen und argen Motiven heraus geschieht. Nicht als ob wir das beurteilen sollten, dazu ist unsere Perspektive viel zu ungenau, zu wenig umfassend. Aber wir sollten anfangen, darauf zu trauen, schrittweise, von Schritt zu Schritt.

Benedikt war ein benedictus, ein Gesegneter in allen Formen des Lebens, durch die er ging, in Sternstunden und an Tiefpunkten, weil er in allem ehrlich Gott gesucht hat, der ihn darum segnen und anziehen konnte, ihn und sein ganzes Leben.

Gerade darin ist er beispielhaft nicht nur für Benediktiner und Benediktinerinnen. In der Osterwoche singen wir mittwochs als Eröffnungsvers der Messe einen Text aus dem 25. Kapitel des Matthäusevangeliums, der so oder ähnlich seit dem 9. Jahrhundert bereits in den Klöstern gesungen wird: „Venite benedicti Patris mei, percipite regnum, alleluja, quod vobis paratum est ab origine mundi, alleluja, alleluja, alleluja!"
„Kommt ihr Gesegneten meines Vaters, nehmt das Reich in Besitz, alleluja, das von Anbeginn der Welt für euch bereitet ist, alleluja, alleluja, alleluja!"

Da soll der Weg hinlaufen. Wir werden alle erwartet! Aber wir sind noch nicht ganz und gar dort. Unsere Form der Teilhabe besteht in der Treue zum Weg. Gott segnet uns im Weitergehn.

Schluß

Durch sehr verschiedene Zugänge haben wir einige Schritte in das Land des Segens getan. Es gibt noch mehr Wege als die, die wir hier begangen haben. Manche Wege sind beinahe zugewachsen, weil lange Zeit hindurch niemand auf ihnen ging und sie mit dem Verdacht von zuviel Tradition und Form belastet sind.
Was vor ein oder zwei Generationen im kirchlichen Milieu noch übliche, zumeist unreflektierte Lebenspraxis war, gerät darum heute zu einer Entdeckungsreise. Gut so! Ich meine, diese Entdeckungsreise lohnt sich, sie führt mitten in ein lebendiges Leben hinein, das ist nicht schal, abstrakt und formlose Masse, sondern vielfältig und bunt.
Der Mensch bedarf der Gesten und Formen. Wenn sie ihn aber einengen oder wenn er in ihnen etwas zwingen will, dann verfehlen sie ihren Sinn, dann werden sie mißbraucht. Wohl ist jede Form und Geste immer auch Grenze, aber es gibt doch ein dem Menschen zuträgliches Maß. Sie sollen nicht fesseln und einengen! Sie dienen vielmehr dazu, der Weite und Vielfalt des gottbezogenen Lebens Raum und Gestalt zu geben.
Was früheren Generationen da selbstverständliches, oft unbewußtes Wissen war, will heute mit offenen Augen neu gesehen, mit wachen Sinnen neu gefunden werden. Uns bleibt dazu nur der Weg über das Bewußtsein.
Aber irgendwann fügen sich die Töne und Klänge, die wir hören lernten, zu einer Musik, die Schritte zum Tanz, die Farben, die wir analysier-

ten und verstanden, zu einem Bild, die Teile, die wir bewußt entdeckten, zu einem gelebten Ganzen.
Und jedes Phänomen des Segens und Segnens führt, wenn wir uns darauf einlassen, an einem konkreten Zipfel des Lebens hinein in den großen, gesegneten Zusammenhang, hinaus ins Weite.
Es ist aber eine Weite, die das Konkrete nicht verliert. Vielmehr fließen ihm von dorther heilende Kräfte zu.

Anmerkungen

Die Ausführungen über den Segen in der Sprache erschienen in verkürzter Form in „Geist und Leben“ 6/87, Echter Verlag, Würzburg

[1] Für die Hinweise und Erklärung dieses Segens über Bruder Leo danke ich Bruder Lukas Jünemann CFP, Düsseldorf

[2] zitiert nach: Die Märchen der Brüder Grimm, 9. Auflage München 1979, S. 80 ff

[3] Jörg Zink, Was bleibt stiften die Liebenden, S. 114, Stuttgart 1979

[4] Theodor Schnitzler, Was das Stundengebet bedeutet, Freiburg 1980, S. 110 ff

[5] Ursprünglich wurde bei Errichtung einer Kirche diese durch die erste Eucharistiefeier des Bischofs geweiht. Galt es aber einen ehedem heidnischen Tempel in ein christliches Gotteshaus umzuwandeln, besprengte man seine Wände mit Weihwasser; vgl. Pastoral-liturgisches Handlexikon S. 259 ff.

[6] Rituale Romanum, Freiburg 1974, S. 45

[7] Schwanbergbrief 4/85, S. 5 herausgegeben von der Communität Casteller Ring, S. 1–5

[8] zitiert nach: Basilius Senger, 75 Tischgebete für die Familie, Kevelar 1972, 3. Auflage

[9] Das ist auch gemeint, wenn bei der Aufnahme ins Noviziat eines Ordens die Schwester oder der Bruder mitunter einen neuen Namen erhält.

[10] Leonardo Boff, Ave Maria. Das Weibliche und der Heilige Geist. Düsseldorf 1982, S. 25

[11] Boff, Ave Maria, S. 13

[12] Boff, Ave Maria, S. 28 f

[13] Boff, Ave Maria, S. 61

[14] Jungclaussen/Pastro: Benedictus. Eine Bildbiographie. Nach dem 2. Buch der Dialoge Gregors des Großen. Regensburg 1980, S. 30

Literatur

Adam, A./Berger, R.: Pastoral – liturgisches Handlexikon. Freiburg 1980

Benediktionale. Studienausgabe für die katholischen Bistümer des deutschen Sprachgebietes. Freiburg 1981

Boff, L.: Ave Maria. Das Weibliche und der Heilige Geist. Düsseldorf 1982

Emminghaus, J.H.: Die Messe. Wesen – Gestalt – Vollzug. Stuttgart 1983

Fischer, B.: Von der Schale zum Kern. Kurzansprachen zu Zeichen und Worten der Liturgie. Freiburg 1980

Jungclaussen, E./Pastro, C.: Benedictus. Eine Bildbiographie. Nach dem 2. Buch der Dialoge Gregors des Großen. Regensburg 1980

Schnitzler, Th.: Was das Stundengebet bedeutet, Freiburg 1980

Schwanbergbrief, Hg. Communität Casteller Ring, Heft 4/85, besonders: M. Pfistner, Eucharistie. Feier der Gemeinschaft und des Festes, S. 1–5

Steidle, B. (Hg.): Die Benediktus-Regel. Lateinisch – Deutsch, Beuron 1978

Westermann, C.: Theologie des Alten Testamentes in Grundzügen. Ergänzungsreihe Band 6, S. 88–101, Göttingen 1978

MÜNSTERSCHWARZACHER KLEINSCHRIFTEN

Schriften zum geistlichen Leben

ISSN 0171-6360

herausgegeben von Mönchen der Abtei Münsterschwarzach

1	A. Grün OSB, **Gebet und Selbsterkenntnis**	(1979) 56 S.	DM 4,80
2	B. Doppelfeld OSB, **Der Weg zu seinem Zelt** Der Prolog der Regula Benedicti als Grundlage geistlicher Übungen	(1979) 64 S.	DM 5,40
3	F. Ruppert OSB/A. Grün OSB, **Christus im Bruder**	(1979) 56 S.	DM 4,80
4	P. Hugger OSB, **Meine Seele, preise den Herrn**	(1979) 84 S.	DM 7,40
5	A. Louf OCSO, **Demut und Gehorsam**	(1979) 55 S.	DM 4,80
6	A. Grün OSB, **Der Umgang mit dem Bösen**	(1980) 84 S.	DM 7,40
7	A. Grün OSB, **Benedikt von Nursia – Seine Botschaft heute**	(1979) 60 S.	DM 5,20
8	P. Hugger OSB, **Ein Psalmenlied dem Herrn** Teil 1: Möglichkeiten des heutigen Psalmengebets	(1980) 72 S.	DM 6,80
9	P. Hugger OSB, **Ein Psalmenlied dem Herrn** Teil 2: Impulse zum christlichen Psalmengebet; Psalm 1 – 72	(1980) 80 S.	DM 7,60
10	P. Hugger OSB, **Ein Psalmenlied dem Herrn** Teil 3: Impulse zum christlichen Psalmengebet; Psalm 73 – 150	(1980) 80 S.	DM 7,60
11	A. Grün OSB, **Der Anspruch des Schweigens**	(1980) 72 S.	DM 6,80
12	B. Schellenberger OCSO, **Einübung ins Spielen**	(1980) 52 S.	DM 4,80
13	A. Grün OSB, **Lebensmitte als geistliche Aufgabe**	(1980) 60 S.	DM 5,60
14	B. Doppelfeld OSB, **Höre, nimm an, erfülle** St. Benedikts Grundakkord geistlichen Lebens	(1981) 68 S.	DM 6,80
15	E. Friedmann OSB, **Mönche mitten in der Welt**	(1981) 76 S.	DM 7,40
16	A. Grün OSB, **Sehnsucht nach Gott**	(1982) 64 S.	DM 6,40
17	F. Ruppert OSB/A. Grün OSB, **Bete und arbeite**	(1982) 80 S.	DM 7,80
18	J. Lafrance, **Der Schrei des Gebetes**	(1983) 62 S.	DM 6,40
19	A. Grün OSB, **Einreden,** Der Umgang mit den Gedanken	(1983) 78 S.	DM 7,80
20	R.-N. Visseaux, **Beten nach dem Evangelium**	(1983) 68 S.	DM 7,20
21	J. Main, **Meditieren mit den Vätern** Gebetsweise in der Tradition des J. Cassian	(1983) 56 S.	DM 5,40
22	A. Grün OSB, **Auf dem Wege,** Zu einer Theologie des Wanderns	(1983) 72 S.	DM 7,40
23	A. Grün OSB, **Fasten – Beten mit Leib und Seele**	(1984) 76 S.	DM 7,60
24	G. Kreppold OFMCap, **Heilige – Modelle christlicher Selbstverwirklichung**	(1984) 80 S.	DM 7,80
25	G. Kreppold OFMCap, **Die Bibel als Heilungsbuch**	(1985) 80 S.	DM 7,80
26	A. Louf/M.Dufner, **Geistliche Vaterschaft**	(1984) 48 S.	DM 5,20
27	B. Doppelfeld OSB, **Die Jünger sind wir** Das Leiden Jesu Christi, mit seinen Jüngern erlebt	(1985) 64 S.	DM 6,80
28	M. W. Schmidt OSB, **Christus finden in den Menschen**	(1985) 44 S.	DM 4,80
29	A. Grün OSB/M. Reepen OSB, **Heilendes Kirchenjahr**	(1985) 84 S.	DM 7,80
30	F.-X. Durrwell, **Eucharistie – das österl. Sakrament**	(1985) 74 S.	DM 7,40
31	B. Doppelfeld OSB, **Mission**	(1985) 60 S.	DM 6,40